# L'UNIVERS DE L'ART

Sous la direction
de Patrick Mauriès

Saints du retable de la chartreuse de Champmol, 1391-1399.

ANDREW MARTINDALE

# L'Art gothique

*Traduit de l'anglais par Léna Rozenberg*

THAMES & HUDSON

*A Jane*

*L'auteur tient à exprimer sa reconnaissance aux collègues dont les conférences et la conversation ont alimenté nombre des idées avancées dans cet ouvrage. Il remercie particulièrement M. Christopher Hohler et le Docteur Peter Kidson.*
*L'éditeur français remercie M. Daniel Russo de sa collaboration.*

COUVERTURE : Zebo da Firenze (att. à), frontispice d'un livre d'Heures (détail), v. 1405-1410. British Library, Londres. Ms Add. 29433 f. 20 r. (*cf.* ill. 189).

L'édition originale de cet ouvrage a paru sous le titre
*Gothic Art*

© 1967 Thames and Hudson Ltd, Londres.
Traduction française
© 1993 Editions Thames & Hudson SARL, Paris.

Cet ouvrage composé par Hérissey à Évreux
a été reproduit et achevé d'imprimer en décembre 1992
par l'imprimerie C.S. Graphics
pour les Editions Thames & Hudson.

Dépôt légal : 1er trimestre 1993
ISBN 2-87811-058-7
Imprimé à Singapour

# Sommaire

Introduction                                                           7

CHAPITRE UN
Du roman au gothique, 1140-1240                                        17

CHAPITRE DEUX
La suprématie de Paris, 1240-1350                                      85

CHAPITRE TROIS
L'art italien du milieu du XIII$^e$ siècle au
milieu du XIV$^e$ siècle                                              145

CHAPITRE QUATRE
L'art européen de 1350 à 1400                                         221

Chronologie                                                          266

Glossaire                                                            268

Bibliographie                                                        270

Sources des illustrations                                            272

Index                                                                279

1 Saint Louis, portail de la chapelle des Quinze-Vingts, Paris.

## Introduction

On considère généralement que le règne de l'art gothique débute avec l'abbé Suger, du monastère de Saint-Denis, près de Paris. Suger resta à sa tête de 1122 à 1151, période pendant laquelle commença la reconstruction de l'abbaye. La décoration et l'architecture de cet édifice comportaient des éléments dont l'importance n'allait cesser de croître dans le développement de l'art français ; notre premier chapitre retracera cette évolution et ses effets dans les territoires avoisinants. C'est l'une des grandes périodes de transition dans l'histoire de l'art européen : le goût de l'expérimentation y fut intense encore que réparti de manière inégale et désordonnée. Reste que vers 1250, l'art européen avait changé, dans tous les domaines. Le style gothique était né.

Il nous faut toutefois faire preuve de prudence quant à l'utilisation du mot « gothique ». La chasse aux caractéristiques du gothique fut entravée dès le début par la nature vague du terme. Chacun sait qu'il fut d'abord appliqué à l'art des XVIᵉ et XVIIᵉ siècles en un sens péjoratif pour décrire l'art pré-renaissant tel qu'il s'était développé hors d'Italie. Le mot ne se voulait ni précis ni descriptif : les hommes qui l'avaient forgé ne se souciaient guère de le définir. En fait, le terme signifiait « barbare ». Le « renouveau gothique » du XVIIIᵉ siècle lui ôta son caractère insultant et on l'appliqua à tout l'art médiéval qui précède la Renaissance italienne. Au début du XIXᵉ siècle, une partie de cette période fut séparée du reste et désignée sous l'appellation d'art roman ou normand. Si bien que, par un processus insatisfaisant d'élimination, le terme finit par décrire l'art de la période comprise entre l'art roman et l'art renaissant.

Il couvre ainsi au moins deux siècles, durant lesquels l'art européen subit de si nombreux changements qu'il est difficile de définir le style gothique. D'autant que la compréhension de ces mutations se heurte à la rareté des données. Comment situer ces changements de façon précise en s'interdisant tout commentaire sur les intentions de l'artiste ? L'analyse de la création artistique est une tâche si rude que, même dans les cas où l'on dispose d'une documentation importante, son interprétation requiert beaucoup d'intuition. Dans les études médiévales, il faut déplorer l'absence quasi totale de documents contenant des commentaires utiles sur les œuvres réalisées, émanant, sinon des artistes eux-mêmes, du moins d'amateurs éclairés. Les écrivains de la Renaissance, à tort ou à raison, pensaient détenir la vraie définition de l'art et savoir ce que les artistes tentaient de démontrer. Aussi les hommes de culture concentrèrent-ils toute leur attention sur le sujet. Les artistes médiévaux semblent n'avoir jamais suscité ce genre d'intérêt, ce qui prive l'historien de l'art d'informations capitales. Presque personne ne s'est attaché à l'époque à expliquer les œuvres d'art qu'il voyait naître autour de lui.

Cette situation crée un tel fossé entre l'histoire de l'art médiéval et celle de l'art post-médiéval qu'elle mérite commentaire. L'exaltation de l'art et de l'artiste est, depuis près de quatre siècles, une caractéristique de la culture de l'Europe occidentale. On peut être tenté d'y voir une constante de l'esprit. En fait, elle était complètement étrangère aux habitudes du Moyen Age. L'existence d'un mécénat intelligent mais irrégulier par des « amateurs d'art » plus ou moins déterminés ne fait guère de doute. Mais l'intérêt soutenu pour l'art et les artistes restait très exceptionnel. La raison en est simple : quiconque avait fait un minimum d'études était imprégné de préjugés qui rendaient quasi impossible ce genre de passion.

L'influence scholastique s'exerçait alors de deux manières. D'abord elle nourrissait un préjugé négatif contre tout ce qui supposait un travail manuel – donc contre les arts dits mécaniques, comme la peinture, la sculpture et l'architecture. Ce mépris, déjà présent chez Aristote, faisait partie intégrante de l'enseignement prodigué par l'Église, qui prônait la supériorité de la contemplation sur l'action et de la réflexion sur la réalisation) suivant l'exemple du Christ et de Marie plutôt que celui de Marthe. Ceux qui pratiquaient l'art n'étaient pas dignes d'une attention véritable ; pas plus que leurs œuvres, dans leurs qualités intrinsèques, ne méritaient qu'on s'y attarde.

On touche ici le deuxième aspect important de la réflexion scholastique qui empêchait de penser l'art avec un minimum d'acuité : l'univers matériel n'avait de valeur que s'il pouvait révéler certains aspects de la vie éternelle ou de la nature de Dieu. Cette position prend, elle aussi, ses racines chez les Anciens et plus précisément dans les écrits de Platon et des néo-platoniciens (Pour ces auteurs, la plus haute tâche de l'homme était la recherche de la vérité éternelle) La pensée chrétienne était si profondément marquée par cette perspective que les philosophes chrétiens finirent par enseigner que le monde visible n'était digne d'intérêt que dans la mesure où il reflétait et révélait certains aspects du divin. D'où le divorce entre la matière et son contenu révélé. L'érudit du IXe siècle John Scot Erigène affirmait : « On ne peut comprendre un morceau de bois ou un éclat de pierre que si l'on y entrevoit Dieu. » Les exemples de ce type de pensée ne manquent pas. Il semble évident qu'il exclut toute valorisation du style : l'importance de l'art vient de son *sujet* et non de sa *technique*.

Il serait irréaliste de supposer que ce type d'approche étant valorisé, toute personne de bonne éducation allait pleinement s'y soumettre. On a de bonnes raisons de croire que le goût spontané pour les arts subsista malgré les sarcasmes dont l'accablaient les écrivains chrétiens. Selon saint Augustin, le goût instinctif pour la musique ramenait ses tenants au niveau des oiseaux ; seule la connaissance des intervalles et des consonances permettait d'apprécier la musique et d'y reconnaître le reflet de l'harmonie divine de l'univers. John Scot Erigène va jusqu'à prétendre que considérer un objet de l'œil du « collectionneur » (comme on dirait aujourd'hui) méritait le mépris car cette attitude engendrait presque inévitablement la cupidité et l'avarice. Cette attitude (ou préjugé) ne pouvait empêcher personne d'avoir des points de vue sur les artistes ni de nourrir des préférences. Mais elle réussit à bloquer la diffusion de ces opinions

9

dans des écrits publiés et à paralyser l'épanouissement de toute critique d'art qualifiée.

On atteint donc une période de l'histoire de l'art où deux catégories importantes de preuves vont nous faire défaut. On ne sait presque rien de l'attitude générale vis-à-vis de l'art au Moyen Age. Aucun compte-rendu ne nous informe sur la réaction d'une congrégation religieuse confrontée à trois projets différents pour une même abbaye. Sans doute cela se passait-il comme lors d'une réunion de comité moderne, mais rien n'est moins sûr. La deuxième lacune est d'autant plus importante qu'elle concerne l'artiste et ses œuvres. Les matériaux biographiques sont en effet pour ainsi dire inexistants. Par exemple, Guillaume de Sens, un des grands noms de l'architecture anglaise du XIIᵉ siècle, n'eut pas un seul biographe. Aucun témoignage contemporain ne nous renseigne sur sa formation, ni même sur ses origines, son lieu de naissance, ses voyages, ou les édifices dont il fut responsable en dehors de la cathédrale de Canterbury. Cela vaut pour la plupart des grands artistes de l'art médiéval. Souvent, leur nom même n'a pas survécu. C'est pourquoi la période médiévale est une des plus dépersonnalisées de l'histoire de l'art. L'historien se voit contraint de parler d'« écoles » dans lesquelles il rassemble tant bien que mal des groupes de monuments qui lui semblent avoir des affinités artistiques. Processus d'autant plus déplorable qu'il conduit à traiter des œuvres d'art comme si elles étaient sorties « pures de tout contact avec la main humaine » ou plutôt « avec la faiblesse des hommes », et à accumuler sur « l'anonymat » des artistes médiévaux des discours creux et sentimentaux, dignes de fictions romanesques. Cela engendre aussi des discussions stériles sur le « sens de l'art gothique » qui, en l'absence de témoignages écrits, nous échappe forcément.

Quelques preuves éparses nous informent néanmoins sur l'attitude des hommes du Moyen Age face à l'art. Pour les mécènes, l'art semble avoir constitué un marché comme un autre. Dès le milieu du XIIIᵉ siècle, des contrats sont enregistrés, comportant parfois la description d'œuvres dont devait s'inspirer l'entreprise en cours. Le modèle est alors cité pour sa taille autant que pour sa beauté. On en conclura que les mécènes médiévaux savaient parfaitement ce qu'ils voulaient et semblaient désireux de voir leurs exigences satisfaites. Alberti, architecte érudit du XVᵉ siècle, conseillait à ses confrères : « Pour conclure, je vous prie de ne pas vous laisser emporter par un désir de gloire qui vous pousserait à entreprendre inconsidérément quelque chose de totalement *nouveau* ou d'inhabituel... N'oubliez jamais avec quelle mauvaise grâce, avec quelle mauvaise volonté les gens dépensent de l'argent pour mettre vos fantaisies à l'épreuve des faits. » Mais ce conseil ne peut-il pas s'appliquer à n'importe quel siècle, Moyen Age inclus, ainsi qu'à toutes les formes d'art ?

La visite des hauts lieux culturels n'est pas un phénomène moderne. Ce qu'on appelle le tourisme a, en un sens, toujours existé. A son niveau le plus élémentaire, il a rarement rendu service à l'art. Mais à un niveau plus élaboré, il facilita sans doute, au Moyen Age, la libre circulation des idées et des marchandises. Les pélerinages et les missions diplomatiques offraient des perspectives fécondes dont les voyageurs revenaient enrichis d'idées et de souvenirs. Rome était, bien entendu, très courue et le Moyen Age abonde en ouvrages destinés à en faciliter la visite.

L'abbé Suger, nous le savons, jeta des regards envieux sur les colonnes de marbre des thermes de Dioclétien avant de se résoudre à imiter les basiliques romaines en incluant simplement quelques mosaïques dans la façade ouest de Saint-Denis. L'évêque de Winchester, Henry de Blois, profita de son séjour à Rome, en 1151, pour acquérir un certain nombre de statues antiques qu'il fit transporter jusque chez lui. L'abbé de Westminster, rentrant de la cour de Rome en 1269, ramena les hommes et les matériaux qui lui permettraient de doter son abbaye d'un dallage de marbre à la manière romaine.

On ne sait pas grand-chose sur la manière dont les visiteurs étaient traités. Mais peut-être doit-on se souvenir que, dans la constitution monastique de Christchurch à Canterbury, au troisième quart du XIᵉ siècle, des dispositions étaient prévues pour permettre à ceux qui le souhaitaient de voir le logement réservé aux moines. On confia l'accueil des visiteurs au frère hôtelier. Peu à peu, tous les monastères dont la taille ou les trésors le justifiaient un tant soit peu suivirent le mouvement.

Nous avons déjà noté que vers 1250 émergea un style gothique européen. Les études spécialisées ont tendance à se noyer dans les problèmes liés à la définition du « gothique ». Précisons dès maintenant notre position. Nous appellerons « gothique » l'art qui se développa aux environs de Paris et dans le Nord de la France entre 1140 et 1240. Il s'agit donc de l'art d'une région particulière dont le développement est étudié sur une période relativement longue. Le processus engloba ensuite d'autres régions de France, et les pays avoisinants acceptèrent progressivement l'idée qu'il était intéressant de copier cet art. Dans cette évolution, le règne de Louis IX (1226-1270) joue un rôle primordial. Avant cela, dans la plupart des pays, l'influence de la France, et donc du gothique, reste confuse. Les controverses sur le gothique, ce qu'il fut ou ne fut pas, sont rudes et souvent teintées d'acrimonie. Notre premier chapitre sera consacré à cette période d'émergence. Nous tenterons de retracer le cours des événements dans le Nord de la France et les environs de Paris, pour le comparer à l'évolution des autres pays, de manière à percevoir comment ceux-ci furent affectés par l'idéal gothique.

Durant le siècle que couvre le second chapitre (1240-1350) la situation se clarifie pendant une brève période. Le règne de Louis IX fut salué dans les provinces comme à l'étranger par un soudain engouement pour les idées artistiques du Nord de la France. Cette vague, aisément perceptible en architecture, concernait toutes les formes d'art. Paris devint un des hauts lieux européens de l'art et de la mode.

Le troisième chapitre est consacré au joker de cet étonnant jeu de cartes historique et artistique – l'art italien. La résistance italienne à l'orthodoxie du gothique français tel qu'il s'était concrétisé vers 1240 semble avoir été considérable. Les artistes italiens furent influencés par certains aspects de l'art français. Mais jamais aucun Italien ne tenta d'édifier une cathédrale rayonnante ou de sculpter un portail de type français. Les premiers signes d'une quelconque imitation du style raffiné de la cour de Louis IX n'interviennent qu'au XIV$^e$ siècle. Résistance admirable, peut-être, mais qui nous interdit d'aborder le « gothique italien » en même temps que le gothique allemand ou anglais.

12

Le dernier chapitre traite de la période qui va de 1350 à 1400 dans toute l'Europe, Italie comprise. L'intensification des échanges d'idées à travers les Alpes durant cette période autorise ce regroupement. Les peintres parisiens se sentaient de plus en plus concernés par l'art italien. Le phénomène inattendu de ces années fut l'émergence de Prague, étrange foyer de culture hybride qui devint, de façon assez éphémère, le centre de l'Empire et le siège de la cour impériale.

L'historien d'art est généralement tenu de faire de son sujet l'émanation de l'air du temps. L'art est sans doute le reflet de l'esprit humain. Il n'en est pas moins difficile d'expliquer comment l'esprit d'une période donnée rend inévitable le type d'art produit durant cette même période. Ce genre de raisonnement laisse toujours planer un léger doute : en histoire rien ne peut être considéré comme inévitable avant de s'être effectivement produit. Tenter d'expliquer par l'histoire une forme artistique nous semble une entreprise douteuse. Il est, bien sûr, relativement facile et plus révélateur d'inverser le processus et d'utiliser l'œuvre d'art pour éclairer l'histoire. Dans les grandes œuvres s'expriment certaines qualités des individus et du milieu social qui les ont produites. Il n'y a rien d'aberrant à lire la puissance d'un ordre dans la grandeur de son abbaye. La splendeur du chœur de Saint-Denis nous éclaire sur la personnalité de son constructeur, l'abbé Suger, autant que la nudité de l'abbaye de Fontenay illustre l'austérité de saint Bernard et des premiers cisterciens. De même, les somptueuses décorations des basiliques médiévales de Rome constituent le support idéal de la gloire de la papauté au XIIIᵉ siècle. Hier comme aujourd'hui, l'art a pour fonction de constituer le décor sur lequel se détachent les événements majeurs d'une période et qui nous aide aussi à les imaginer.

Mais pouvons-nous déduire des preuves existantes les raisons pour lesquelles un individu donné dans une société donnée produit telle ou telle forme d'art ? Cela nous entraînerait dans les spéculations complexes qui cherchent à établir un lien entre l'histoire des formes nouvelles et les courants d'idées. Mais l'existence de médiations entre les idées et le « contenu » de l'art est souvent évidente. Émile Mâle commence son étude sur le XIIIᵉ siècle en affirmant que « l'art au Moyen Age sert le plus souvent à illustrer des idées ». Toute œuvre d'art complexe et de grandes dimensions suppose qu'un individu a rassemblé une somme de connaissances considérable. Ceci vaut pour l'art profane autant que pour l'art religieux : un portail de cathédrale ne pouvait être érigé que d'après les données établies par un spécialiste – le plus souvent un chanoine – et pour en appréhender la signification, il faut connaître les textes qu'il fréquentait. C'est en ce sens que l'art exprime un aspect de la pensée d'une époque et que son contenu est le produit de son arrière-plan historique.

L'art est aussi, pour une bonne part, le produit d'une situation économique. Il fallait trouver et payer les matériaux et la main-d'œuvre, et c'est dans les régions les plus riches que se développèrent les arts coûteux (quel art ne l'est pas ?). L'architecture en est la meilleure illustration en raison de son coût. L'architecture monumentale surgit surtout dans les régions où le commerce était en plein essor. Ce qui signifie que, tout au long du Moyen Age, en Europe la construction se concentre principalement le long d'une ligne qui va de Bologne à Londres, avec un léger détour par la vallée du Rhin. Autour de cet axe du commerce européen, la présence des capitaux se traduit par la multiplication des grandes œuvres architecturales.

Cette corrélation est évidente lorsqu'on sait d'où venait l'argent nécessaire à l'édification des églises. L'évêque apportait presque toujours sa contribution, s'il s'agissait d'une cathédrale. Le chapitre pouvait puiser dans ses revenus propres pour participer à l'entreprise. Mais une bonne part des ressources dépendait de la contribution des fidèles. On sollicitait des dons contre la promesse de prières perpétuelles pour les généreux bienfaiteurs. On acceptait les offrandes des pèlerins dans les sanctuaires et on faisait circuler les reliques dans les campagnes environnantes, voire plus lointaines. Des confréries locales étaient créées pour réunir les fonds et l'inévitable tronc était placé en évidence de manière à ce que chacun puisse y déposer sa contribution. La rentabilité de tous ces procédés dépendait de l'accessibilité de l'argent. La procession des reliques dans une région de paysans affamés pouvait réconforter les âmes mais ne dégageait pas l'argent nécessaire à la construction des églises.

14

C'est pendant la période que couvre le premier chapitre de ce livre que se produisit un changement notable dans la nature des édifices : il s'agit désormais le plus souvent de « cathédrales ». A quelques exceptions près (dont Saint-Denis), la construction proprement monastique perdit de son importance, mais on aurait tort d'en conclure au déclin des ordres. Cela prouve simplement qu'en 1200, les grands monastères disposaient déjà d'églises qui leur donnaient satisfaction. Par contre, le nombre des villes insatisfaites de leurs principaux édifices ecclésiastiques et disposées à payer cher pour permettre à leur évêque et au chapitre de les remplacer était considérable. Entre 1140 et 1250, il devint techniquement possible de bâtir des églises d'une taille et d'une hauteur jamais atteintes depuis la chute de l'Empire romain. L'orgueil provincial joua sans doute un rôle décisif dans la cristallisation de ces nouveaux projets.

Un autre phénomène devait se révéler lourd de conséquences dans le domaine artistique, à savoir l'essor des universités et la soif grandissante de culture. Ce lent processus, qui couvre les XIIᵉ et XIIIᵉ siècles, se traduisit par une demande de textes que tentèrent de satisfaire des ateliers de copistes indépendants des *scriptoria* monastiques. L'ère commerciale de la production du livre commençait. Il ne s'agissait pas toujours de livres à forte ambition artistique. On situe assez mal le moment où l'enluminure devint un métier essentiellement profane confié à des professionnels. L'Italie du XVᵉ siècle aura encore de célèbres *scriptoria* monastiques. Mais, dans ce domaine aussi, dès le XIIᵉ siècle, les choses bougent.

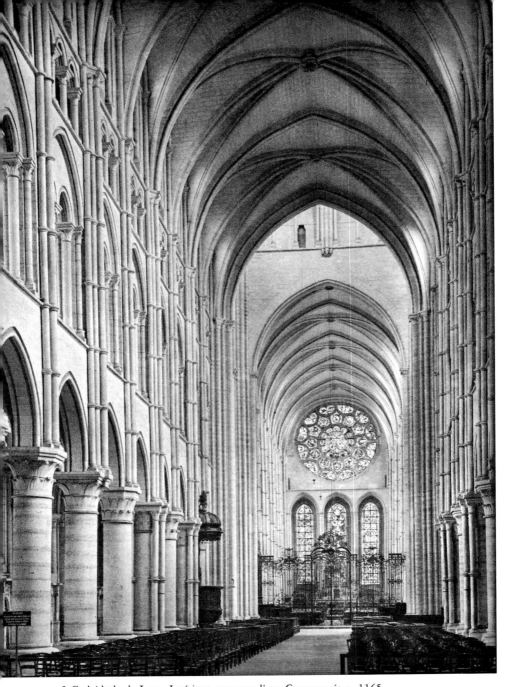

2 Cathédrale de Laon. Intérieur, vue vers l'est. Commencée v. 1165.

## CHAPITRE UN

# Du roman au gothique, 1140-1240

## L'ARCHITECTURE

Les signes avant-coureurs de ce qui allait devenir l'art gothique surgirent au milieu d'une période d'importantes avancées techniques. Des éléments d'architecture aussi décisifs que la nervure et l'ogive étaient déjà monnaie courante. L'arc-boutant, fort peu utilisé, était connu dans son principe. On savait aussi cacher les contreforts sous le toit des tribunes. La période de transition marque seulement l'intelligence croissante des potentialités de ces éléments dont la maîtrise allait rapidement se perfectionner.

C'est vers 1137 que l'abbé Suger entreprit la reconstruction de l'abbatiale de Saint-Denis. Des raisons étrangères à l'architecture le contraignirent à renoncer à la démarche habituelle qui consistait à procéder d'est en ouest. Il commença par ajouter à l'ouest de l'édifice carolingien un bloc massif que devaient coiffer deux tours. Puis, en 1140, il entreprit de substituer un nouveau chœur à l'abside carolingienne de la vieille église. De cette rénovation ne nous sont parvenus que des fragments, puisque l'intérieur de l'abside a subi depuis de profonds remaniements, de l'arcade jusqu'à la voûte. Au contraire, le déambulatoire et les chapelles sont demeurés tels qu'il les avait laissés. Le plan auquel Suger s'était rallié ne rompait nullement avec les exigences de la tradition. La singularité de son abbatiale tient au fait que son architecte refusa de cloisonner les différentes chapelles, si bien qu'on ne sait plus s'il s'agit d'une rangée de chapelles ou d'un double déambulatoire. Quelles qu'aient été les

4

17

implications liturgiques de cette démarche, l'effet visuel est extra-ordinaire : on est placé face à une sorte de halle montée sur d'imposants piliers et illuminée par une série de vitraux. Le laminage des cloisons séparant les différentes chapelles supposait par ailleurs une modification de l'extérieur de la nef dont le caractère aérien fut nettement souligné. D'autres architectes ne tardèrent pas à imiter et à amplifier cette innovation. Certains éliminèrent complètement les excroissances des chapelles, comme dans le plan initial de Notre-Dame de Paris, à Laon, à Notre-Dame de Mantes ou dans la première version, aujourd'hui détruite, de la cathédrale d'Arras.

Ces innovations exigeaient plus que du génie : l'architecture de Saint-Denis constitue une stupéfiante prouesse technique. L'unification du chœur induite par le décloisonnement des chapelles aurait tourné à la catastrophe si la construction des voûtes avait été irrégulière ou entachée d'amateurisme. Le plan-masse comportait un grand nombre d'arcatures de largeurs différentes mais de hauteurs analogues, l'apex se situant en un point prédéterminé. L'architecte parvint à disposer les clefs de voûte à peu près à la même hauteur et à les aligner non seulement les unes par rapport aux autres, mais aussi par rapport aux axes majeurs de l'abside rayonnante.

Cela relevait du tour de force : l'architecte venait d'édicter de nouvelles normes d'excellence. Mais, mises à part les exceptions que nous avons mentionnées, le plan qui avait rendu ces règles nécessaires ne connut qu'une faveur restreinte. Personne ne se risqua à le copier directement, encore que la cathédrale Saint-Maclou de Pontoise en ait emprunté le meilleur. De manière générale, on découvrit très vite les inconvénients du décloisonnement des chapelles. Au contraire, le carénage, tant intérieur qu'extérieur, de l'abside fit bientôt tache d'huile. Le principe en fut même étendu à l'ensemble de l'édifice.

L'élévation intérieure de l'abside de l'abbé Suger ne nous est pas parvenue. A quelle église la comparer ? Celles qui ont survécu sont, en effet, d'une remarquable diversité : l'art du XII$^e$ siècle était encore fortement enraciné dans les traditions régionales et ce n'est qu'au XIII$^e$ siècle que devaient s'affirmer les normes de la cathédrale idéale. Le Nord et le Nord-Est de la France n'avaient pas renoncé à l'une

3 Abbaye de Saint-Denis. Déambulatoire, 1140-1144. Les piles du grand autel furent reconstruites après Suger.

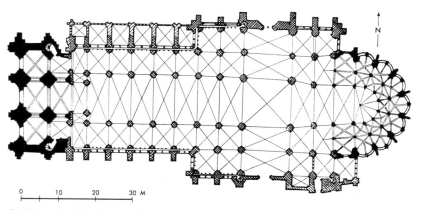

0   10   20   30 M

4 Abbaye de Saint-Denis. Plan de l'actuelle basilique. L'abbé Suger fit construire les parties signalées en noir.

des caractéristiques majeures de l'art roman, la cassure de l'élévation en une série d'étages à arcades. Le fruit le plus notable de cette convention était l'existence d'une grande galerie de tribune dont l'architecte utilisait l'élévation non seulement pour rehausser l'édifice mais aussi pour enclore et masquer les contreforts latéraux rendus indispensables par le pari sur la verticalité.

A ces trois niveaux (l'arcature, la tribune, le clair-étage) venait parfois s'en ajouter un quatrième, celui du triforium placé entre la tribune et le déambulatoire. Mais la mode des églises à quatre niveaux ne gagna que le Nord ou le Nord-Est de la France et les parties occidentales de l'Empire. Elle avait précédé la naissance du gothique, comme le prouve l'exemple de la cathédrale romane de Tournai (dont la nef date des années 1140-1160). On sait aussi que les deux remarquables cathédrales (détruites) d'Arras et de Valenciennes disposaient de quatre étages. Signalons enfin les exemples encore visibles de Noyon, de Laon et du transept sud de la cathédrale de Soissons.

2, 6 La cathédrale de Laon illustre à merveille les principaux traits de ce style de transition. L'édifice originel datait de 1165-1205 (encore que l'essentiel du bras occidental soit d'une date plus tardive). Les quatre niveaux sont nettement perceptibles même s'il est évident que l'architecte a tenu à briser l'horizontalité de l'édifice en multipliant les groupes de colonnettes engagées en nombre alterné. Ces colonnettes constituent l'une des singularités de la cathédrale de Laon, encore qu'on les retrouve en bien d'autres lieux : les différences entre les archivoltes de Laon et celles de Saint-Denis sont minimes. Les travaux étaient en cours lorsque la mode privilégia un nouveau type de chapiteau, le chapiteau corinthien simplifié dit « à crochets ». La France l'adopta à une vitesse étonnante et les architectes s'empressèrent de coiffer leurs églises de nervures sexpartites (à six divisions). Avec ce système, deux nervures en diagonale suffisaient à couvrir deux travées. Ce n'était pas une nouveauté absolue : plusieurs églises romanes (la partie neuve de Saint-Étienne de Caen, construite vers 1100-1125, par exemple) en étaient déjà pourvues. Mais pour les novateurs, ce dispositif avait un avantage considérable : il renforçait l'apparence organique de l'édifice.

20

5 Façade ouest de la cathédrale de Laon, 1190-1200 ?

5 L'extérieur de la cathédrale de Laon n'est pas moins nouveau. L'architecte rêvait d'impressionner par la disposition judicieuse de ses sept tours – une sur la croisée, les autres aux principaux angles. Hélas, la construction s'arrêta à la cinquième. La mode architecturale des tours multiples s'était emparée de l'Empire. Déjà à Tournai, les tours placées à l'extrémité des transepts s'inscrivaient dans la tendance générale de l'époque. Il s'agissait de rendre perceptible de l'extérieur le dessin de l'abside et des transepts. Tout porte à croire qu'à Saint-Denis, l'abbé Suger avait prévu l'érection de tours de transept. Les deux cathédrales détruites d'Arras et de Cambrai en étaient dotées. L'adjonction aux transepts d'une abside nord ou sud sur le modèle du chevet oriental allait dans le même sens. Laon ne

7 possède ni abside ni transept. Au contraire, Noyon, Tournai et Soissons en sont pourvues, comme l'était l'église détruite de Cambrai. Parmi les exemples romans, signalons les églises à chœur trilobé de Saint-Lucien de Beauvais (détruite) et de Santa-Maria-in-Kapitol à Cologne. D'autres images de la basilique idéale disputaient le terrain à ce modèle. La cathédrale de Sens (commencée v. 1140) est munie de trois étages. La hauteur des arcades y est supérieure à celle des tribunes. Malgré sa voûte sexpartite et le jeu de moulures ou de chapiteaux qui la rapprochent des édifices contemporains mentionnés ci-dessus, elle relève d'une tout autre tradition. Sur de nombreux points, c'est à la nef de la cathédrale du Mans (achevée en 1158)

10 qu'il convient de la comparer. La cathédrale de Poitiers (commencée en 1162) se rattache à une tradition encore différente, celle de l'église-halle dont les bas-côtés ont approximativement la même hauteur que la nef centrale, si bien que, comme souvent dans les églises romanes, elle n'a ni tribune ni clair-étage. Par bien des détails, Notre-Dame de Paris (commencée en 1163) rappelle Laon. De l'extérieur, elle produisait néanmoins un effet totalement différent. A Laon, l'architecte avait mis en valeur les lourds transepts dotés de tours. A Paris, à l'origine du moins, les transepts se déta-

8 chaient à peine des nefs latérales et il n'y avait qu'une tour, sur la partie ouest (comme aujourd'hui d'ailleurs). D'autres architectes choisirent d'éliminer totalement les transepts – ultérieurement réinsérés à Sens, à Senlis (commencée en 1153) et à Mantes.

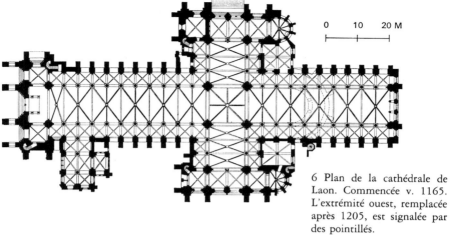

6 Plan de la cathédrale de Laon. Commencée v. 1165. L'extrémité ouest, remplacée après 1205, est signalée par des pointillés.

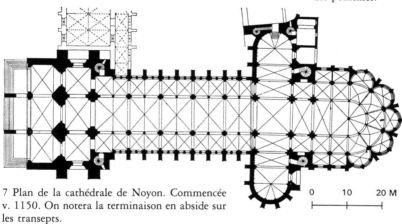

7 Plan de la cathédrale de Noyon. Commencée v. 1150. On notera la terminaison en abside sur les transepts.

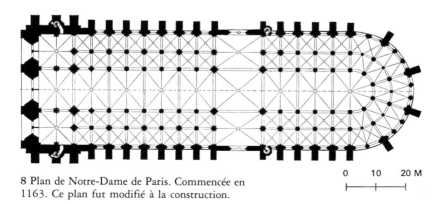

8 Plan de Notre-Dame de Paris. Commencée en 1163. Ce plan fut modifié à la construction.

Dans le registre des églises françaises, le troisième groupe est celui que patronnèrent les cisterciens. Architecturalement, leur style répondait aux exigences du parangon d'austérité que fut saint Bernard († 1153). L'église cistercienne de Fontenay fut bâtie de son vivant. D'autres, construites ou achevées après sa mort, comme la troisième église de Clairvaux (commencée en 1153) ou l'abside de Pontigny (commencée v. 1185), se ressentent de l'influence croissante des membres de l'ordre qui souhaitaient affirmer le pouvoir et le prestige de leur fondation. Les cisterciens ne pouvaient s'intéresser à l'essor du gothique que dans la mesure où il obéissait aux injonctions de la maison-mère installée à Cîteaux ; on pouvait s'attendre à

10 *(Ci-dessus)* Cathédrale de Poitiers. Intérieur, vers l'est. Église-halle commencée en 1162. 9 *(Ci-contre)* Abbaye cistercienne de Fontenay. Intérieur, vers l'est. Commencée en 1139, terminée en 1147, elle traduit lumineusement la passion pour la simplicité de saint Bernard.

ce que ce contrôle s'appliquât à l'architecture religieuse, et ce fut partiellement le cas en France. Outre-Rhin et même dans certaines régions de France, les résultats furent incertains : la période d'uniformisation initiale ne dura pas. Les préférences locales et les traditions régionales reprirent bientôt l'essentiel de leur vigueur.

Peu après le milieu du XIIᵉ siècle se produisit un revirement dont les conséquences devaient être décisives sur un problème technique, celui des contreforts : plus personne ne trouva scandaleux de laisser paraître à l'extérieur les renforts qu'on prenait jusqu'alors tant de soin à masquer sous la galerie de tribune et les toits du triforium.

La technique de l'arc-boutant jeté par-dessus les toits, déjà utilisée à Notre-Dame de Paris, devint caractéristique de « l'art de France ». La hauteur de l'église n'avait jusqu'alors dépendu que du nombre et de la taille des niveaux. La dissociation entre les problèmes d'étayage et la question de l'élévation intérieure permit de repenser l'aspect intérieur des églises.

Cette technique facilita une innovation majeure : l'extension du clair-étage, dont les fenêtres pouvaient désormais gagner la zone naguère occupée par la tribune et le triforium. En fait, la quasi-disparition de la galerie de tribune permit de répartir l'espace qui lui était traditionnellement attribué. L'arcature et le clair-étage seraient désormais séparés par une étroite galerie de triforium. Dans le développement de ce schéma, la cathédrale de Chartres (dont la reconstruction commença en 1194) devait jouer un rôle décisif.

L'architecte n'avait nullement l'intention de rompre avec la tradition : il avait prévu de doter sa cathédrale de plusieurs tours, comme
11 à Laon. Les choses évoluèrent différemment et l'intérieur se signale par les dimensions impressionnantes du clair-étage et l'étroitesse du triforium coincé entre le clair-étage et l'arcade. C'est de ce modèle
12 que devaient s'inspirer d'abord Reims (commencée en 1210) puis Amiens (commencée en 1218). D'autres régions d'Europe s'y rallièrent, avec d'importantes modifications ou innovations (voir chapitre deux). Reims consacrait également une innovation essentielle, l'usage du croisillon. On en mesure l'impact quand on compare les vitraux de Reims avec ceux de Chartres. A Chartres, la maçonnerie incluse dans le vitrail est encore si épaisse qu'on peut la considérer

11 Cathédrale de Chartres. Intérieur. Transept nord, vers le nord-est.
Premier quart du XIIIᵉ siècle.

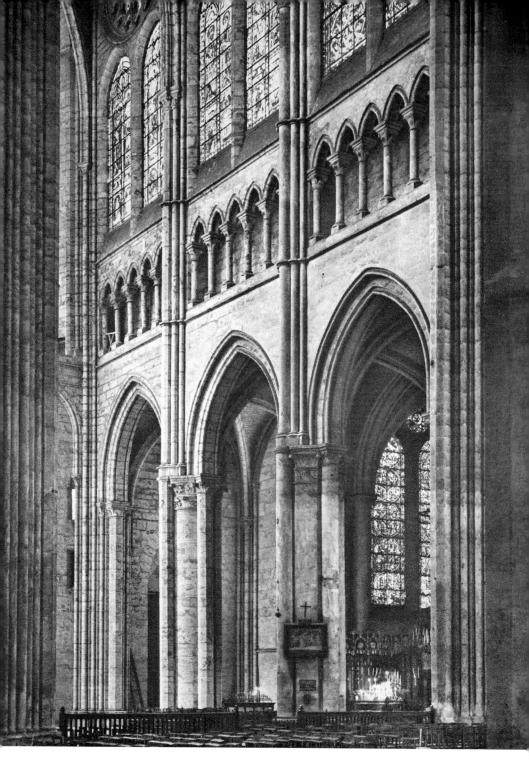

12 Cathédrale de Reims. Intérieur, vers l'est. Commencée en 1210.

13 Cathédrale de Bourges. Extérieur, vu du sud-est. Commencée vers 1195.

comme partie intégrante du mur d'à-côté. A Reims, les cloisons ont tellement perdu de leur épaisseur qu'elles se réduisent à de frêles ramures ou à des réseaux de pierre assemblés suivant des schémas de plus en plus complexes.

L'immense cathédrale de Bourges fait ici figure d'exception. Commencée peu avant 1200, elle s'inscrit en opposition aussi bien avec Chartres qu'avec les édifices français qui s'en inspirent. D'abord par le gigantisme de ses cinq nefs qui la mettaient au niveau de sa grande rivale gothique, Notre-Dame de Paris. Ensuite parce que, si son plan relève de la tradition de la nef profilée inaugurée à Paris, l'élévation intérieure relève de la tradition de l'arcature 14 monumentale. Les chapelles de la partie est ne présentent presque aucun saillant. Les transepts (contrairement à Mantes ou Senlis) ont disparu. Mais surtout l'architecte de Bourges avait entrepris de

14 Cathédrale de Bourges. Intérieur, vers l'est. Commencée vers 1195.

mettre au goût du jour la tradition romane de l'arche monumentale. De nombreuses églises romanes avaient tablé sur le gigantisme de leur arcature : celle de Tournus, qui date du début du XIᵉ siècle, en constitue l'un des meilleurs exemples encore visibles en France. Pour sa part, l'architecte de Bourges ne se contenta pas d'éliminer la galerie de tribune ; contrairement à ses prédécesseurs, il décida de consacrer à l'arcature la totalité de l'espace vertical ainsi libéré. Le clairétage, de taille relativement modeste, atterrit dans la courbe de la voûte. Le résultat est grandiose.

Bizarrement, la France se montra indifférente à cette innovation, sauf pour le chœur de la cathédrale du Mans, commencé en 1217, et celui de Coutances (v. 1250-1275). La raison de cet insuccès est évidente : cela coûtait atrocement cher. La cathédrale de Bourges impressionne surtout par la largeur inusitée de ses cinq nefs. Or, cette largeur était nécessaire pour compenser la hauteur de l'ensemble. Les éventuels imitateurs devaient donc voir très grand.

Sans doute ne fut-ce pas la seule raison. Quand on voit le nombre des grandes églises inachevées du Moyen Age, on se dit que le problème du prix de revient ne devait pas figurer au premier rang des préoccupations de leurs ambitieux mécènes. Tout concourait à faire de Chartres l'idéal des architectes et de leurs patrons. Bourges continua d'incarner à elle seule l'esthétique grandiose fondée sur l'application magistrale de la technique nouvelle de l'arc-boutant.                13

La diversification régionale de l'architecture du XIIᵉ siècle n'est pas l'apanage de la France. D'un bout à l'autre de l'Europe, la ténacité des prédilections et des préjugés locaux explique la survie jusqu'aux dernières décennies du siècle d'un style fondamentalement roman. La première période gothique française couvre les années 1140-1230. Dans presque tout le reste de l'Europe, elle va des alentours de 1170 jusqu'en 1250.

Dans le Sud de l'Angleterre, l'édifice le plus important de cette période de transition est incontestablement le chœur de la cathédrale de Canterbury (commencée en 1175). Pour des raisons qui nous     16
échappent, l'élévation à quatre niveaux n'avait pas obtenu la faveur des Anglais qui se raccrochèrent jusqu'au milieu du XIIIᵉ siècle à la tradition anglo-normande, c'est-à-dire au système de la galerie de

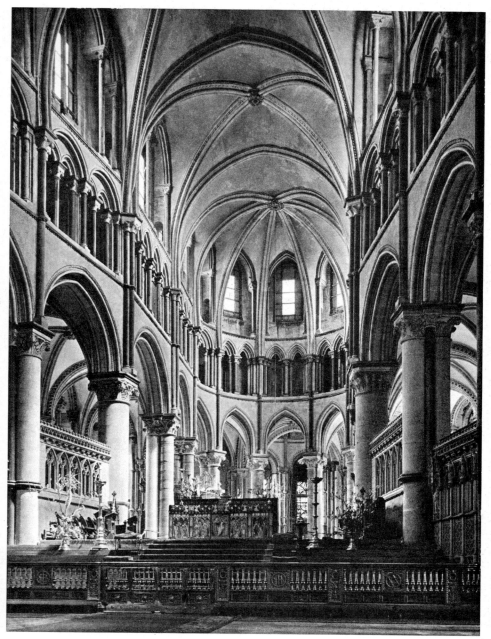

16 *(Ci-dessus)* Cathédrale de Canterbury. Chapelle de la Trinité, vue de l'ouest, 1179-1184.

15 *(Ci-contre)* Cathédrale de Wells. Intérieur de la nef, vers l'est. Reconstruction commencée vers 1180. Nef : 1200-1220 ? L'arche en sas de la croisée de transept est un ajout des alentours de 1388.

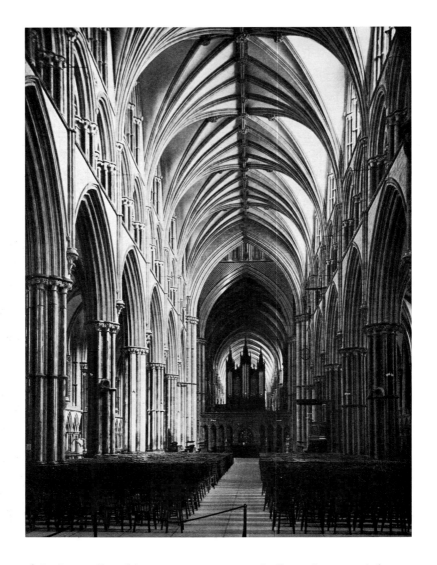

clair-étage. Ces éléments se retrouvent à Canterbury, qui fut pourtant conçue par le Français Guillaume de Sens, et qui, à bien des égards, entendait rivaliser avec les innovations françaises, comme le prouvent les arcades de marbre coloré et les doubles colonnes, sans parler des colonnettes engagées inspirées de la cathédrale de Laon.

Dans d'autres régions d'Angleterre, le gothique prit une forme

15 plus décorative. La nef de la cathédrale de Wells a l'épaisseur et la

34

solidité des œuvres anglo-normandes. Les architectes veillèrent toutefois à en atténuer la lourdeur en multipliant les moulures, les colonnes gothiques et les feuillages sculptés. Dans le Nord de l'Angleterre, nombre de grandes églises (et d'ajouts à des églises préexistantes) doivent leur élégance à des procédés du même ordre, comme dans le chœur et les transepts de l'abbatiale de Hexham (v. 1200-1225). Le goût des surfaces ornementées allait devenir un des traits permanents de l'architecture gothique anglaise. La reconstruction de la cathédrale de Lincoln lui donna libre cours. La prolifération

17 Cathédrale de Lincoln. Nef, vers l'est. Commencée v. 1225.

18 Cathédrale de Salisbury. Nef, vers l'est. Commencée en 1220.

19 *(A gauche)* Cathédrale de Limbourg-an-der-Lahn. La nef, vers l'est. Commencée v. 1220.

20 *(A droite)* Liebfrauenkirche, Trèves. Chœur, vu du transept sud. Commencée v. 1235.

21 *(A l'extrême-droite)* Sainte-Elisabeth, Marbourg. Nef, vers l'ouest. Commencée en 1235.

17 de colonnettes soudées, de moulures et de feuillages sculptés ajoute à la finesse des nervures supplémentaires de la voûte (commencée en 1225) qui en font la nef la plus somptueusement décorée d'Europe.

18 Ces effets ne plurent visiblement pas à tout le monde. Le bâtisseur de Salisbury (commencée en 1220) ignora sciemment la plupart des jeux décoratifs de Lincoln. Ici, les piliers sont encadrés de quatre colonnettes, les nervures réduites au minimum et les piles interrompues au niveau de l'arcature. Ce dépouillement architectural constitue le trait le plus original d'une cathédrale dont le dessin, qui devait pourtant inspirer maints détails du plan de l'abbaye de Westminster, ne connut guère de succès. Sur le continent, en dehors de la région déjà étudiée, le gothique de transition présente moins de cohérence. On continua de bâtir des églises d'une massivité toute romane jusqu'au milieu du XIII$^e$ siècle – suivant des prototypes d'une grande diversité. La cathédrale de Limbourg-an-der-Lahn, par exemple, commencée vers 1220, nous intéresse dans la mesure où elle perpétue le type des édifices à quatre niveaux délaissé par la

36

France. Celle de Munster, commencée en 1221, semble s'inspirer des édifices bâtis dans l'Ouest de la France au cours des années 1160, comme la cathédrale d'Angers. Ce n'est que vers 1230 que surgirent en Allemagne des églises d'un raffinement proche du gothique à la française. Deux cathédrales gothiques commencées dans les années 1230 s'inscrivent, à des titres divers, dans une tradition différente. La première est la Liebfrauenkirche de Trèves (commencée en 1235) 20 dont la nef est aussi longue que les transepts ; cas unique dans les annales du gothique avancé, tout se passe comme s'il s'agissait d'une église à plan central (à cette différence près que le départ des bas-côtés se situe au niveau du grand autel). Au contraire, la forme des pilastres et des archivoltes la rattache à la jeune tradition française, soulignée par les fenêtres à croisillons à la mode du jour.

Sainte-Elisabeth de Marbourg, commencée en 1235, a la parti- 21 cularité d'être une église-halle à chœur trilobé suivant le schéma décrit ci-dessus (p. 22). Cela n'a rien de surprenant : l'Allemagne utilisait encore ce genre de plans dans les premières années du

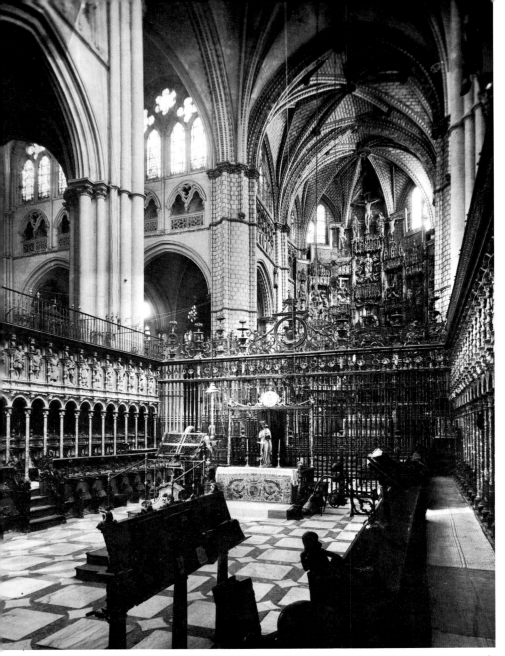

22 Cathédrale de Tolède. Intérieur, vers l'est. Commencée en 1226. Le transept et la nef ne furent édifiés qu'à la fin du XIIIᵉ et au XIVᵉ siècle.

xiii$^e$ siècle (voir l'église des Saints-Apôtres de Cologne, commencée en 1192). Le détail et les vitraux de Sainte-Elisabeth s'inscrivent plus ou moins dans le « nouveau style » français. L'élévation en halle peut paraître insolite dans la mesure où la France y avait renoncé, au moins pour les cathédrales, depuis la conception de la cathédrale de Poitiers (voir ci-dessus, p. 22). Mais la cathédrale de Paderborn avait assuré la résurgence de ce plan qui devait connaître un immense succès en Allemagne pendant le reste de la période gothique. En fait, les architectes allemands ne se rallièrent au gothique qu'avec la fondation de la nouvelle cathédrale de Cologne, en 1248.

La pénétration des idées françaises fut aussi lente en Espagne qu'en Angleterre ou en Allemagne. Certes, les cisterciens y favorisèrent l'introduction de plusieurs traits gothiques dans le dessin des arches et des nervures. Ils facilitèrent aussi la diffusion de l'ogive. Mais, comme en Allemagne, la plupart des édifices du début du xiii$^e$ siècle espagnol conservèrent une pesanteur toute romane : on a peine à croire que la cathédrale de Lérida (fondée en 1203) est contemporaine de Chartres.

Des églises du xii$^e$ siècle, seule la cathédrale d'Avila semble avoir intégré dans son plan et dans l'architecture de son chœur (commencé avant 1181) divers éléments empruntés à Saint-Denis. Celle de Cuenca, commencée en 1200, se rattache plus nettement au gothique par le nombre et la qualité de ses piliers et de ses moulures. La partie haute est sexpartite, la majorité des chapiteaux à crochets. La petite église de l'Hospederia de Roncevaux (commencée en 1209, consacrée en 1219) dispose même d'un triforium de cathédrale, surmonté de larges vitraux ronds au bord dentelé, à la manière des « assiettes ajourées » en vogue dans les grands édifices français. Si les principaux piliers sont dotés de chapiteaux à crochets, la voûte sexpartite qui coiffe l'ensemble fleurait déjà l'anachronisme lors de sa fondation.

Les premières églises espagnoles dont la taille soit comparable à celle des cathédrales gothiques françaises sont celles de Burgos (commencée en 1222) et de Tolède (commencée en 1226). Dans les deux cas, les architectes ne se sont pas tournés vers Chartres et ses

rivales mais vers Bourges et son principal dérivé, le chœur de la
22 cathédrale du Mans, commencé en 1216. La cathédrale de Tolède
s'inspire directement de ces modèles : elle comporte une double nef,
des transepts sans avancées et une arcature gigantesque. La hauteur
du bas-côté intérieur l'emporte sur celle du bas-côté extérieur. Burgos ne possède ni double nef, ni arcature monumentale. Mais les
restes du triforium originel et la forme de certains piliers rappellent
visiblement Bourges.

Seule, sans doute, la cathédrale de León (commencée v. 1255)
nous offre l'exemple d'un ralliement total aux normes de la nouvelle
architecture française (voir ci-dessous, p. 106). Les Espagnols se raccrochèrent d'ailleurs aux modèles de Bourges et du Mans bien après
que les Français les eurent délaissés. Barcelone à la fin du XIIIᵉ siècle,
Palma de Majorque au XIVᵉ, Séville au XVᵉ, Ségovie et Salamanque
au XVIᵉ témoignent de la popularité des arcatures gigantesques qui
caractérisent encore l'idéal de la cathédrale espagnole.

LA SCULPTURE

Pour la section est de la basilique de Saint-Denis, dont le plan, la
construction et les détails architecturaux résument l'essentiel du
gothique, l'abbé Suger, nous l'avons vu, avait changé d'architecte.
Celui qui s'était occupé de la partie ouest y avait prévu deux tours,
en 1137-1140. Il n'avait rien d'un génie mais, en tant que décorateur, sa contribution à l'histoire de l'art gothique devait être primor-
23 diale. La façade ouest inaugure une prestigieuse lignée de façades
gothiques, en France comme à l'étranger.

On en retrouve presque toutes les caractéristiques, séparées, dans
des sources romanes d'un type ou d'un autre. Les tours jumelles, le
triple portail, l'arcature et la rose allaient passer dans le langage
commun des concepteurs de façades. Pour les portails proprement
dits, les architectes dotèrent les tympans de voussoirs ornés de
sculptures et de colonnes-statues. Les figures dressées ont été
détruites au XVIIIᵉ siècle, et les autres sculptures lourdement restaurées au XIXᵉ siècle. Aussi est-il difficile de se prononcer sur l'œuvre
originale qu'il faut sans doute attribuer à des sculpteurs venus du

Sud ou de l'Ouest de la France. Le mystère plane sur le destin de ces
hommes dont le style devait rapidement être éclipsé par l'art de
Bourgogne plus éclatant. Les relations entre l'Ile-de-France et la
Bourgogne sont d'ailleurs difficiles à démêler : la plupart des œuvres
à l'appui ont été détruites. Du moins a-t-on la certitude que la

statuaire de l'abbaye Sainte-Bénigne de Dijon est étroitement liée aux sculptures originales des cloîtres de Saint-Denis et que ces deux statuaires sont à rapprocher de celle de la façade occidentale de la cathédrale de Chartres (v. 1150). A en juger par le nombre de leurs imitateurs, il semble que les portails ouest de Chartres jouirent d'une juste renommée dès le XII$^e$ siècle. Plusieurs fois remaniés au cours de la construction, ils gardent la trace de styles distincts, notamment en matière de sculpture. Mais c'est le style des personnages des tympans et du fût central qui fit sensation. Or ils possèdent une caractéristique commune facilement imitable, le traite-
24 ment des draperies : les fines parallèles retombent parfois en nattes évasées et la répétition confère à l'ouvrage une unité et une stabilité que consolident la mesure et la gravité d'un ensemble étonnamment statique. Les personnages semblent ne communiquer ni avec leurs pairs ni avec le spectateur.

La disposition et le style de ces portails se retrouvent dans les cathédrales de Bourges et du Mans. Mais leurs imitateurs firent rarement preuve d'autant de discrétion. A Avallon, par exemple, les colonnes-statues ressemblent étroitement à celles de Chartres mais le porche souffre d'une surcharge d'ornements. Deux statues aujourd'hui perdues figuraient l'Annonciation dans le style dramatique exigé par le sujet et qui semble peu compatible avec le détachement affiché par les personnages de Chartres.

L'histoire de ce style est obscure. Seules les sculptures du cloître de Saint-Denis pourraient nous inciter à croire qu'il prit naissance à Paris. Au contraire le portail sud-ouest de Notre-Dame (v. 1165) et le porche du transept de Saint-Denis (ou « porte des Valois », v. 1175) illustrent bien le style linéaire dit mouillé, dont le caractère expressif se situe aux antipodes de la dignité presque compassée des personnages de Chartres. Le rapprochement s'impose avec un certain nombre de grands portails et d'autres ouvrages dont ont survécu des fragments plus ou moins considérables, tels que les sculptures de la cathédrale de Mantes et de Notre-Dame-en-Vaux à Châlons-sur-
26 Marne. Quoique lourdement restauré, le portail ouest de Senlis (v. 1175) constitue un excellent exemple de la vitalité débordante du style de la fin du XII$^e$ siècle. Les personnages semblent pris d'une

24 Cathédrale de Chartres. Statues du portail ouest, v. 1150.

25 Cathédrale de Chartres. Sculptures du transept nord, v. 1200-1210.

26 Cathédrale de Senlis. Sculptures du portail ouest, v. 1175.

agitation extrême et, sur toute la surface du portail, la draperie décrit d'extraordinaires circonvolutions. Quel qu'ait pu être l'ordre de ces évolutions déroutantes, gageons qu'il faut les situer dans la perspective de la tradition post-romane de la région de la Meuse, région dont l'autonomie artistique est corroborée par de nombreux objets de métal et des enluminures.

La façade ouest de Laon (v. 1200) contenait sans doute le complexe statuaire le plus important de la sculpture française à la fin du XIIᵉ siècle. Elle a subi, hélas, tant de mutilations et de restaurations que, même si la qualité des fragments originaux n'est pas douteuse, il n'est pas facile de les dénicher dans la masse des pièces restaurées au XIXᵉ siècle. Sur une thématique souvent commune,

27 Cathédrale de Reims. Sculptures du portail du Jugement Dernier, transept nord, v. 1220.

l'iconographie de Laon est d'un style très différent de celle de Senlis. Alors que la tradition de Senlis soulignait le mouvement avec une vigueur proche du maniérisme, les statues de Laon frappent par leur allure à la fois gracieuse et paisible. Les silhouettes élégantes évitent toute contorsion et la draperie suit des courbes délicates. Cette évolution est encore plus marquée sur les transepts de Chartres dont les premières sculptures datent des années 1200-1210. Sans égaler celles de Laon, ces statues ont du moins le mérite d'avoir survécu presque intégralement. Que reste-t-il de la finesse linéaire du XIIᵉ siècle ? Les arêtes sont ici plus tranchées et l'accent porte sur les espaces et les blancs. Sens (apr. 1184), Saint-Yves de Braisne (v. 1205) et la

46

façade ouest de Notre-Dame de Paris (commencée v. 1208) traduisent la même orientation. On en a conclu que certains des sculpteurs de Chartres s'étaient rendus à Reims pour la reconstruction de la cathédrale après l'incendie de 1210. Mais à Reims, une bonne partie de la sculpture originelle, quoique visiblement rattachée à cette phase stylistique, tend subtilement vers l'antique. Les raisons de ce revirement sont loin d'être claires, mais on sait qu'il se produisit dans le bassin de la Meuse sous l'impulsion du célèbre orfèvre Nicolas de Verdun. Bien des signes attestent qu'au XIIᵉ siècle les créateurs revinrent périodiquement vers l'art des Anciens dont on retrouve l'influence dans l'architecture de l'abbaye de Cluny comme dans l'architecture et la statuaire de Saint-Gilles-en-Provence. Les orfèvres de la Meuse placèrent également une partie de leurs œuvres sous le signe de l'antiquité classique. Même si l'on ignore les conditions précises de la renaissance du drapé à l'antique réalisée par Nicolas de Verdun, ce renouveau n'a rien de surprenant. Une inscription (de 1181) nous indique que son premier ouvrage (un ambon ultérieurement transformé en autel et destiné à Klosterneuburg, près de Vienne) serait largement antérieur aux statues monumentales que nous avons évoquées. L'artiste prolongea ses activités jusque dans les premières années du XIIIᵉ siècle. Le style de draperie qu'il élabora semble dériver de la sculpture 28 du IVᵉ siècle av. J.-C., sans qu'on puisse déterminer de quelles

28 Nicolas de Verdun, autel de Klosterneuburg, 1181. L'Adoration des mages.

29 Cathédrale d'Amiens. Sculptures du portail sud-ouest. L'Annonciation, v. 1225.

œuvres précises il s'inspira. Les traces en sont en tout cas perceptibles à Chartres. Les références à l'antique sont encore plus manifestes à Reims dans les années 1211-1225. Les deux personnages de la Visitation de la façade ouest sont probablement les plus célèbres de ces imitations. On croit que l'ensemble de la façade ouest devait être décoré dans ce style. Le projet avorta et le nouveau maître-maçon relégua dans les transepts l'essentiel des statues déjà réalisées : on peut dater ce revirement des années 1230. Le style des nouvelles sculptures s'inspire de celui d'Amiens, dont la reconstruction avait commencé en 1220 et, en dernière analyse, de Paris, où il avait fait son apparition sur le portail nord-ouest de la façade occidentale de Notre-Dame. En comparaison, on est frappé par l'austérité du nouveau style. La grâce du gothique primitif semble s'être évanouie. La draperie retombe en plis larges et simples. Le jeu des sillons et des crêtes du style précédent a presque entièrement disparu. Les personnages frappent par la raideur et la parcimonie de leurs gestes. On

29

48

30 Cathédrale de Reims. Sculptures du portail ouest. La Présentation au temple, v. 1230-1240. Les deux personnages de droite relèvent du style mesuré dit d'Amiens ; celui de gauche a donné son nom au style plus tardif du Maître de Joseph.

31 Cathédrale de Reims. Saint Joseph, détail, v. 1240.

32 Cathédrale de Reims. Chapiteau de la nef ; le feuillage naturaliste est très élaboré.

a évoqué de manière assez convaincante l'influence des ivoires byzantins du xᵉ siècle. La mode en fut éphémère. Les statues de la 30 période suivante sont animées d'une vivacité inconnue des personnages d'Amiens. Les proportions restent les mêmes mais les postures sont plus gracieuses. Dès 1240 s'affiche cette sorte de préciosité qui devait faire la gloire du Joseph de la façade ouest. A Amiens, les 31 larges plis sont mis en valeur par de longues courbes en V : la sculpture française venait d'acquérir les caractéristiques dont elle n'allait plus se départir pendant un siècle et demi. Sans doute est-ce à Paris qu'il faut, une fois de plus, chercher l'origine de cette évolution : une statue de ce type figurait dès 1230 sur le tympan central de Notre-Dame.

Parmi les traits remarquables de la sculpture de Reims, signalons les feuillages naturalistes qui ornent le chapiteau des principaux 32 piliers. On en trouve l'ébauche sur les piliers du chœur et de l'abside. Au fur et à mesure que la construction progressait vers l'ouest, l'imitation de la nature se fit plus précise et le feuillage plus abondant. Faute de pouvoir égaler les proportions des chapiteaux de Reims, on imita largement leurs feuillages, à Chartres et dans l'église du chapitre de Noyon. La mode s'en répandit à travers toute l'Europe (voir ci-dessous pp. 64, 117, 123).

On a vu que dès le départ, le premier architecte employé par Suger avait incorporé à Saint-Denis des éléments qui allaient faire partie du répertoire classique des concepteurs de façades. Reste à se demander comment ils furent utilisés. Laon fut la première à donner 5 une importance significative aux éléments empruntés à Saint-Denis : pour la première fois, la rose était placée au centre et les portails approfondis par l'addition de porches.

Ce schéma fut repris dans le projet définitif des transepts de Chartres. Mais les architectes de Chartres se heurtèrent à différents problèmes liés à la hauteur de l'édifice. Plus l'église était haute, plus la rose centrale avait tendance à monter. En s'écartant du portail, elle compromettait la cohésion de la façade. Pour pallier cet 33 inconvénient, il fallait ramasser la composition. A Amiens, l'architecte décida de grouper porches et portails de façon à constituer d'énormes embrasures orientées à la fois vers le haut et vers l'extérieur. Au lieu d'être cantonnées dans des niches distinctes, les statues-colonnes, désormais juchées au-dessus des portails, étaient logées entre les fûts qui se relayaient jusqu'à la rosace, trois niveaux au dessus. Le résultat parut médiocre et c'est une autre 34 solution qui fut adoptée pour la façade définitive de Reims. L'architecte renonça aux tympans sculptés et porta les gâbles à une hauteur si invraisemblable que la pointe du gâble central pénétrait franchement dans la zone de la rose proprement dite. Ce renforcement de l'élan vertical supposait l'élimination des niveaux intermédiaires dans le reste de l'église : la galerie des rois est située plus haut que la rosace. Pour compenser la disparition de l'étage des fenêtres, l'architecte a disposé astucieusement des vitraux dans les espaces normalement occupés par les tympans. Reims venait de bouleverser de fond en comble la disposition des éléments traditionnels de la façade française.

L'influence française fut lente à pénétrer en Angleterre où le portail à tympan sculpté et à statues-colonnes ne devait faire son apparition qu'au XIII$^e$ siècle. La cathédrale de Lincoln semble avoir poussé le modernisme jusqu'à se doter, dans les années 1140, de deux statues-colonnes (qui ont hélas disparu). Deux autres vinrent orner la cathédrale de Rochester vers 1150. Le profil de l'abbaye Sainte-

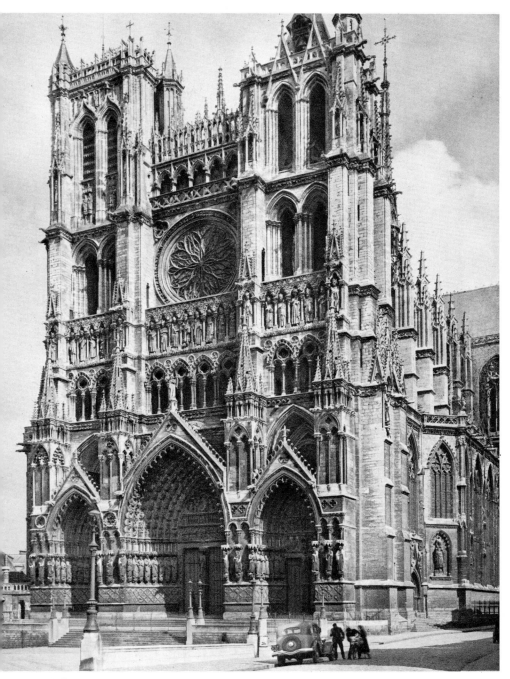

33 Cathédrale d'Amiens. Façade ouest, commencée v. 1220.

34 Cathédrale de Reims. Façade ouest. Deuxième quart du XIII<sup>e</sup> siècle. La cathédrale devait être couronnée de flèches qui ne furent jamais construites.

Marie de York fut le premier à comporter tout un rang de statues 35
(v. 1210). Mais les informations manquent sur ce portail dont ne
subsistent que les principaux personnages et dont le style est visiblement emprunté à des façades plus anciennes, comme celle de Sens.
L'Angleterre n'utilisa les colonnes-statues que de manière exceptionnelle.

En fait, le portail à la française ne parvint jamais à s'implanter
véritablement en Angleterre. On en trouve des échos dans le portail
sud du chœur de la cathédrale de Lincoln et dans les portails du

35 Fragment de la statue de saint
Jean, sur le jambage d'un portail
détruit, abbaye Sainte-Marie, York,
v. 1210.

transept nord de l'abbaye de Westminster, dont presque rien n'a survécu. Seul le portail de Lincoln peut donner une idée de ce que fut l'original (voir ci-dessous, p. 117). Au contraire, la statuaire de la façade de la cathédrale de Wells (v. 1225-1240) rappelle le gothique contemporain, celui de Reims et d'Amiens. Mais peut-on comparer son dessin et son porche minuscule avec ce qui se faisait en Ile-de-France ? Si influence française il y eut, c'est du côté des façades romanes de l'Ouest de la France qu'il faut la chercher, puisque la majeure partie des statues sont placées dans la zone qui surmonte les portails.

36 Cathédrale de Wells. Façade ouest, commencée en 1225. Les tours datent de la fin du XIVᵉ et du début du XVᵉ siècle.

37 Cathédrale de Wells. Portail ouest. Le Couronnement de la Vierge, v. 1230.

Elles sont d'ailleurs de qualité fort inégale et s'élèvent rarement au niveau de la grande sculpture internationale. Les meilleures sont celles du bas. Au centre, le Couronnement de la Vierge fait songer à 37 l'admirable fragment de Winchester qui seul soutient la comparaison avec les chefs-d'œuvre du continent. La grâce de la silhouette féminine qui devait se dresser au-dessus du porche du prieuré de Winchester a d'évidentes affinités avec les statues de Strasbourg, datées des environs de 1230.

Il ne semble pas que la façade ouest de Chartres ait fait des émules en Allemagne où l'architecture gothique ne s'affirma vraiment que dans les années 1220. Le premier exemple de haute sculpture à la française se trouve sur le transept sud de la cathédrale de Strasbourg. Ces personnages renvoient au style des plus admirables sculptures de transept de la cathédrale de Chartres. Mais l'influence de la sculpture intermédiaire de Reims est évidente dans la draperie et la grâce des personnages. La statuaire de Strasbourg est

38 Cathédrale de Strasbourg. Extérieur du transept sud. La Dormition de la Vierge, v. 1230.

également remarquable par sa tonalité nerveuse. On y rencontre pour la première fois un trait qui s'affirmera avec une étrange persistance dans la sculpture allemande, à savoir le penchant pour l'émotion et le désir de susciter la réaction du spectateur. Cela est 39 frappant à Bamberg (av. 1237 ?) dans une série de statues qui, malgré un agencement étonnant, rappellent Reims dans chaque détail.

Les porches de Bamberg et de Strasbourg sont romans par la lourdeur de leurs moulures et de leurs voûtes en berceau. Aucun grand portail de la période qui les sépare de la façade ouest de Strasbourg (v. 1280-1290) ne laisse à penser que les maçons allemands cherchèrent à intégrer des silhouettes à la française dans un portail de type français. Fut-ce le cas à Magdebourg ? On a la quasi-certitude 40 que les Vierges folles et les Vierges sages du portail du Paradis (v. 1245) furent conçues non pas pour le portail définitif mais pour un portail consacré, d'une manière ou d'une autre, au thème du Jugement Dernier. On finit par leur conférer une importance exceptionnelle en leur donnant la taille et le statut traditionnellement

39 Cathédrale de Bamberg. Vierge du groupe de la Visitation, actuellement dans l'aile du chœur, v. 1230-1235.

40 Cathédrale de Magdebourg. Les Vierges sages du jambage du portail du Paradis, v. 1245.

41 Cathédrale de Naumburg. La Crucifixion, entrée du chœur, v. 1245.

réservés à la représentation des Apôtres. Mais nous ne disposons d'aucune information sur le projet de porche primitif. Reste que ces statues sont typiquement allemandes. Le sculpteur, soucieux de traduire la joie et le désespoir qui convenaient à son thème, a visiblement cédé au désir d'impressionner le spectateur. La hardiesse d'expression l'emporte ici sur la sensibilité. De ce « réalisme » au grotesque, la frontière était mince.

La même tension dramatique caractérise la sculpture du chœur de la cathédrale de Naumburg. Si les statues de Magdebourg font songer à Strasbourg, celles de Naumburg semblent être inspirées de Bamberg. La draperie y est lourde et épaisse. Les personnages n'ont pas l'élégance de la tradition strasbourgeoise. On a cru y reconnaître la main des décorateurs du jubé de Mayence dont n'ont survécu que de rares fragments. Après avoir travaillé à Naumburg dans les années 1240, la même équipe de sculpteurs aurait gagné Meissen dont le portail s'orne de statues de style analogue.

42

61

43 Cathédrale de Naumburg. Chœur ouest, montrant l'emplacement des sculptures.
42 *(A gauche)* Cathédrale de Naumburg. Le comte Eckhart et Uta, v. 1245.

Naumburg a l'avantage de constituer un tout. Le chœur est séparé du corps de l'église par un écran ou *pulpitum*, dont on possède peu d'exemples continentaux du XIIIᵉ siècle. On y trouve, en relief, des scènes de la Passion. Un crucifix se dresse au trumeau de l'en- 41 trée. A l'intérieur, les murs sont décorés de figures dont la taille rappelle celles de la Sainte-Chapelle. Mais aux Apôtres ont succédé les 62 bienfaiteurs séculiers de la cathédrale placés dans des poses étonnamment dramatiques comme s'ils tentaient de communiquer d'un 42 bout à l'autre du chœur, avec une délicatesse et une pudeur peu communes dans la sculpture allemande. Les sculpteurs ont ici tenté de couvrir une vaste gamme d'émotions et de types humains en évitant le grotesque et l'emphase. Leur réussite les situe fort loin des maçons à qui l'on doit les Vierges de Magdebourg.

44      Les chapiteaux de Naumburg sont ornés de ces feuillages natura-
        listes dont la mode, depuis Reims, avait gagné la France et d'autres
        régions d'Europe, comme le prouvent les cathédrales de Magdebourg
        et de Gelnhausen, en Allemagne, de Southwell en Angleterre et de
        León en Espagne (voir p. 117). Jusqu'aux environs de 1220, la
        sculpture espagnole vécut à l'écart de la sculpture française dont
        nous avons décrit les différents courants. L'influence française se
        manifeste certes sur les portails de Santa Maria de Sanguesa, de
        Saint-Vincent d'Avila ou sur le Portique de la Gloire de Saint-
        Jacques de Compostelle. Mais, à l'analyse, on constate que ces idées
        furent le plus souvent puisées dans les provinces de Bourgogne et
        d'Aquitaine.
            Au cours des années 1220, l'engouement pour la sculpture fran-
        çaise aboutit parfois à l'imitation pure et simple. Contrairement à
        l'Allemagne, l'Espagne multiplia les portails directement inspirés

44 Cathédrale de Naumburg. Chapiteau folié du chœur ouest, v. 1245.

45 Cathédrale de Burgos. Transept sud. *La Portada del Sarmental,* v. 1235.

des modèles français. Le plus grand ensemble statuaire du début du gothique se situe dans la cathédrale de Burgos dont la décoration se rattache au style d'Amiens. On suppose que le sculpteur du portail du transept sud (la fameuse *Portada del Sarmental,* années 1230) 45 avait travaillé en France, tant ses statues rappellent le *Beau Dieu* d'Amiens. La façade du transept sud fut peut-être édifiée dans les années 1250 et rappelle Reims à bien des égards. La forme de la rosace, surmontée d'une galerie des Rois, fait inévitablement songer aux transepts de Reims et les figures latérales se rapprochent des contreforts qu'ils tendent à recouvrir, un peu comme à Amiens.

LA PEINTURE EUROPÉENNE DE LA PÉRIODE DE TRANSITION

La peinture posait, bien entendu, des problèmes tout à fait différents. Mais, comme en architecture, on constate qu'à l'issue d'une

46 La Pentecôte. Psautier de la reine Ingeborg de Danemark, av. 1210.

assez longue période de transition, Paris fut le creuset d'un style qui devait finir par gagner l'essentiel de l'Europe. Entre 1140 et 1200, on assiste à la juxtaposition de styles régionaux plus ou moins situés dans l'orbite de l'art byzantin. Les problèmes de datation et d'influences réciproques rendent l'analyse encore plus difficile. En fait, si nous devions nous limiter strictement à l'étude de l'art gothique, nous pourrions légitimement passer sous silence la plupart des peintures du XIIᵉ siècle : pour variées que soient les œuvres, aucune ou presque ne saurait être définie comme exclusivement gothique. Seules les toutes dernières années du siècle virent l'atténuation ou la disparition des conventions byzantines. Dans certains secteurs, notamment à l'intérieur de l'Empire, ces conventions allaient se perpétuer jusqu'au milieu du XIIIᵉ siècle. Passer cette tradition sous silence serait injustifiable, non seulement parce qu'elle est souvent de grande valeur et qu'elle s'inscrit dans le cadre chronologique de notre étude, mais aussi parce qu'elle devait constituer le socle du « gothique primitif », celui du XIIIᵉ siècle.

Dès le XIIᵉ siècle, l'Empire d'Occident pouvait s'enorgueillir de l'excellence de sa tradition picturale. John Beckwith, dans *l'Art du Haut Moyen Âge*, en a célébré les vertus dans le domaine de l'enluminure. Cette tradition s'appuyait sur une définition limpide du grand manuscrit idéal. La mise en page répondait à des canons aussi stricts que les décorations marginales. On étendit bientôt les critères de cette tradition, si mouvante et fluctuante par ailleurs, à la représentation des personnages et au traitement des draperies.

L'apport du XIIᵉ siècle fut considérable, ne serait-ce que sur le plan quantitatif. Les besoins en manuscrits varient d'un siècle à l'autre. Le XIIᵉ siècle, marqué par l'intensification de l'étude des textes bibliques, fut celui des Grandes Bibles et des Bibles glosées. Un autre type de manuscrit se répandit à l'époque, le psautier. Ces livres de dévotion à usage personnel appartenaient le plus souvent à des clercs. Les plus luxueux se transformèrent en livres d'images si abondamment et si délicieusement illustrés que le texte finissait par en pâtir. Ces objets de faste appartenaient souvent à des nonnes de noble origine. Leur popularité ne cessa de s'accroître pendant la seconde moitié du siècle.

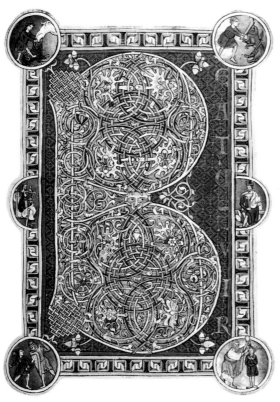

47 Psautier de Munich. Initiale B du psaume I *(Beatus),* v. 1200. Un exemple raffiné de ce genre d'initiales décoratives.

48 *(Ci-dessous)* Villard de Honnecourt, sujet non identifié, v. 1220. Extrait du fameux « carnet » compilé par Villard et ses disciples.

L'art des initiales prit son plein essor. Les initiales en vrilles spiralées, très appréciées à la fin du siècle, entrelaçaient les pétales tenta-
culaires des grandes fleurs byzantines. Les expériences les plus origi- 47
nales furent réalisées en Angleterre, dans le traitement des draperies
mouillées d'origine byzantine. Mais ces fioritures exceptionnelles ne
trouvèrent à s'appliquer qu'à un type pictural défini. La désignation
en est suffisamment éloquente : dans ces dessins, les tissus semblent
coller aux corps dont on discerne les masses sans que soit sacrifiée la
vertu décorative des surfaces. On a l'impression d'avoir affaire à des
surfaces lisses contenues par des courbes décoratives. Ces conventions se retrouvent non seulement dans la sculpture du XIIᵉ siècle au
Nord de la France, mais aussi dans l'orfèvrerie meusane et dans les
manuscrits du Nord de la France et de l'actuelle Belgique.

Sur la foi de ces correspondances, on aurait pu s'attendre à voir
surgir chez les peintres un style « classique », analogue à celui que
les sculpteurs puisèrent dans l'œuvre de Nicolas de Verdun. Mais on
cherche vainement l'équivalent pictural de la sculpture « classique »
de Reims (voir pp. 47-48) : la popularité de la nouvelle tradition
gothique fut étrangement restreinte. Le psautier de la reine Inge- 46
borg, épouse de Philippe-Auguste (av. 1210) constitue le paradigme
de cette transposition du style de Nicolas dans le domaine de l'enluminure. On ne saurait imaginer livre de dévotion plus somptueux
à l'intention d'une dame de haut rang. Comme le psautier des
Albany, il est illustré de manière envahissante, voire criarde. Le
décor est de valeur inégale. Les pages-tapis incluent des personnages
dont l'allure fait songer au style en auge cher à Nicolas et au maître
de Reims. Un autre manuscrit, d'un genre tout différent, mais fondé
sur l'utilisation du style en auge, allait bientôt faire date, le livre
d'Esquisses de Villard de Honnecourt. Ce maître-maçon, fort 48
impressionné par les sculptures de Reims, tenta d'en reprendre le
style. Le missel d'Anchin (Douai, Bib. Mun., Ms 90) et la feuille de
missel qui l'accompagnait (Cologne, Wallraf Richartz Museum)
sont loin d'atteindre cette splendeur. On en dira autant de l'évangéliaire de l'église Gross Saint-Martin à Cologne (Bruxelles, Bib.
Royale, Ms 9222). Notons que tous ces manuscrits proviennent de la
zone d'influence de Nicolas de Verdun, où l'on peut supposer que

fut également réalisé le psautier d'Ingeborg. Ce style, qu'on retrouve sur une foule de vitraux français ou anglais, semble avoir eu les faveurs des maîtres-verriers, comme le prouve la référence au vitrail original de la cathédrale de Canterbury (v. 1200).

L'adoption du style en auge s'inscrivait dans l'évolution de l'art du temps vers plus de naturalisme. L'analogie avec le pli mouillé reste valable. Plus précisément, le style en auge porte à un plus haut degré de pureté le style classique dont dérivait le pli mouillé. Les panneaux s'y transforment en aplats circonscrits de tracés linéaires. Mais le matériau est désormais célébré pour ses qualités propres. Une douceur et une rondeur nouvelles viennent assouplir la linéarité plutôt rêche du style ancien. On trouvera sans peine des antécédents à cette évolution, particulièrement associée à l'Angleterre et, une fois de plus, au Nord de la France et aux Pays-Bas. C'est ainsi que, dans la troisième grande Vie manuscrite de saint Amand, sans doute réalisée aux environs de 1175 (Valenciennes, Bib. Mun. Ms 500), de larges parties de la surface sont modelées par les couleurs, contrairement à la tradition qui se contentait de souligner de quelques traits les contours des personnages. La bible Manerius (Paris, Bib. Sainte-Geneviève, Ms 10), peut-être fabriquée à Saint-Bertin aux alentours de 1180, est également plus suave. Manerius, qui en fut le maître d'œuvre, était moine à Canterbury, ce qui confirme l'étroitesse des liens stylistiques entre cette région et l'Angleterre pendant la seconde moitié du siècle. La décoration de la léproserie fondée par Henry II d'Angleterre au Petit-Quevilly (1183) constitue un autre exemple de naturalisme pictural.

Signalons enfin, datant de la fin du siècle, un certain nombre de psautiers anglais qui attestent la même transformation du style des draperies. Le plus somptueux (Statt. Bib., Ms Clm 835, Munich) 49 atteint le nombre prodigieux de quatre-vingts illustrations en pleine page. Il fut sans doute fabriqué dans la région de Gloucester. Naturellement, les entreprises de cette envergure mobilisaient les efforts de toute une équipe d'artistes. Les parties les plus neuves sont d'une douceur remarquable et s'éloignent considérablement du maniérisme de la bible de Lambeth. Dans une moindre mesure, les mêmes

49 Psautier de Munich. Christ en gloire, v. 1200.

remarques valent pour deux autres psautiers actuellement à la British Library (Mss Arundel 157 et Royal 1DX). On a montré dans *l'Art du Haut Moyen Âge* comment cette évolution avait pu se traduire à l'intérieur d'un manuscrit aussi imposant que la bible de Winchester. Les ultimes retouches de ce gros volume nous rapprochent de l'artiste qui exécuta, aux environs de 1200, le psautier destiné à l'abbaye de Westminster (British Library, Ms 2 A XXII). La peinture de ce psautier est remarquable pour la plénitude et la douceur de son style et de ses drapés. Le tissu tombe en amples courbes que tout sépare de la raideur du style mouillé. Le psautier de Westminster pourrait être défini comme l'œuvre d'un artisan de l'école londonienne, si notre ignorance de la peinture à Londres à cette époque n'était quasi totale.

Le psautier de la reine Ingeborg est le premier manuscrit de cour évoqué dans ce livre. L'insolite de son style le condamnait à l'isolement. Il fut pourtant suivi, en France, d'autres livres royaux marqués par l'influence du style en auge. Citons le psautier que la tradition du XIVᵉ siècle attribue à la mère de Louis IX, Blanche de Castille († 1252) (Paris, Bib. Arsenal Lat. 1186). Ce psautier somptueusement décoré comporte des médaillons, suivant une idée sans doute empruntée au vitrail : il semble qu'à ce point l'art du vitrail rencontre celui de l'enluminure. On a déjà signalé (p. 71) cette correspondance de styles. Le maître-verrier était une sorte de peintre spécialisé. Il n'est donc pas surprenant de voir les deux professions se chevaucher. Si les vitraux reflètent souvent le style des enluminures, ici c'est l'enlumineur qui semble avoir coulé sa mise en page dans la vision du maître-verrier. Le style du prétendu psautier de Blanche de Castille fait songer à celui, plus médiocre, du psautier (Paris, Bib. Nat. Nouv. Acq. 1392), de l'évangéliaire de la Sainte-Chapelle, sans doute réalisé dans les années 1240 (Paris, Bib. Nat. Lat. 8892) et des quatre Grandes Bibles moralisées. C'était un nouveau genre de bible, où les événements de l'Ancien et du Nouveau Testament étaient appariés suivant des axes symboliques. La mise en page jouait sur la confrontation constante des scènes incluses dans des médaillons qui, au nombre de huit par page, semblent poursuivre

50 Psautier de Westminster. Christ en gloire, v. 1200.

leur dialogue en marge du texte approprié. Une de ces bibles moralisées (Vienne, Öst. Nationalbib. 1179) nous présente dans le dernier folio un roi et son scribe. Cette frêle allusion à la royauté célébrait-elle la naissance de la tradition de l'enluminure de cour à Paris en 1225-1250 ? L'hypothèse paraît fragile. Paris ne s'était guère illustré, à notre connaissance, dans la production de manuscrits de haut niveau et n'avait fait que suivre la mode en ce domaine. Il est frappant de constater qu'aucun livre n'est attribué, directement ou indirectement, à l'influence de l'abbé Suger. Si toutefois l'hypothèse est correcte, cette bible moralisée marque une date importante dans l'histoire de l'art puisque c'est à Paris qu'allaient bientôt se décider les styles en vogue.

En Angleterre, une longue série d'enluminures et de psautiers coïncide avec cet essor du livre français. Le médaillon et ses variantes faisaient l'essentiel de la mise en page, encore que la disposition précise du psautier de Blanche de Castille ne fut vraiment imitée qu'une seule fois. On a la chance de pouvoir dater un de ces psautiers, celui de Robert de Lindeseye, abbé de Peterborough (av. 1222). Même si l'un des collaborateurs de ce psautier montre plus de grâce que ses rivaux parisiens, on est surtout frappé par les ressemblances dans le modelé de la draperie, le léger ombrage des chairs ou la rondeur des visages. L'Angleterre tomba bientôt sous le charme des boucles délicates où se perdent ces drapés.

Tant de délicatesse ne pouvait déboucher que sur le maniérisme. On le constate dans tout un groupe de manuscrits dont beaucoup ont, de manière assez surprenante, des liens avec l'Ouest de l'Angleterre (rien n'indique que Londres ait beaucoup compté à l'époque dans le domaine de l'enluminure). Le psautier d'Amesbury (Oxford, All Souls Ms Lat. 6), le missel d'Henry de Chichester (chanoine d'Exeter ; Manchester, John Rylands Lib. Ms Lat. R 24), le psautier d'Evesham (B. Mus. Add. 44874) et l'apocalypse de la Trinité (Camb. Trin. Coll. Lib. Ms R 16.2) constituent l'essentiel de l'enluminure anglaise aux alentours de 1250. Seul le psautier d'Evesham est datable (apr. 1246). Les maniérismes y sont si marqués qu'on peut raisonnablement le considérer comme le dernier d'une série dont le chef-d'œuvre est sans doute le psautier d'Amesbury (Oxford, All Souls Ms Lat. 6). Dans cet ouvrage somptueux on

51

51 Psautier de Robert de Lindeseye. La Crucifixion, av. 1222.

52 Psautier de Blanche de Castille. La Crucifixion et la Déposition, v. 1235.

53 *(Ci-contre)* Psautier d'Amesbury. Vierge à l'enfant avec donateur, v. 1240-1250.

reste frappé par la délicatesse et le raffinement qui se dégagent à la
53 fois des gestes des personnages et de l'ensemble de l'œuvre.

Deux autres groupes d'enlumineurs semblent avoir travaillé à la
même époque. Le premier, sans doute installé à St. Albans, gravitait
55 autour de l'artiste et historien Matthew Paris. Les fragments subsis-
tants des peintures murales de Windsor indiquent clairement qu'à
leur niveau, les peintres du roi travaillaient dans le même sens. On
peut imaginer que Matthew Paris se contenta de suivre la mode londonienne. Leur style se reconnaît à la vigueur d'un trait que vient
encore renforcer l'utilisation des couleurs. Que ce style ait été
populaire, le nombre des manuscrits le prouve : on ne saurait les
attribuer au seul Matthew Paris. La technique, fort ancienne, du
contour teinté, avait été ranimée momentanément par l'un des
auteurs du psautier de Lindeseye dont Matthew Paris et ses
confrères se contentèrent de reprendre le style en l'adaptant au
goût des années 1250. Matthew Paris serait mort vers 1259. Le
second groupe d'enlumineurs inclut William de Brailes, qui, dans
les trois manuscrits sur lesquels il apposa sa signature, se décrit
comme clerc tonsuré. William de Brailes et ses collaborateurs, qui
travaillaient à Oxford, n'étaient certes pas les plus raffinés des
artistes. Souvent peu exigeant dans le détail, Brailes semble avoir
été surtout un brillant conteur en images. Mais en cette période de
transition, son rôle fut considérable. Ses personnages portent les
longues draperies tubulaires de l'époque et ses pages-tapis
montrent à quel point il avait assimilé l'art des configurations géométriques chères aux verriers. Les visages de ses personnages ne
ressemblent ni à ceux de Matthew Paris ni à ceux du psautier
d'Amesbury. Chez lui, les rondeurs modelées cèdent le pas à de
54 minuscules coups de plume dont l'effet suppose une dextérité
presque calligraphique. Ce type de visage annonce ceux dont nous
parlerons au chapitre suivant.

Il apparaît dans la peinture parisienne vers 1250, en marge du
maniérisme propre à la cour de saint Louis. On hésite à parler de
raffinement. En tout cas, l'origine de cette innovation n'est pas
claire.

L'Allemagne présente un tableau très différent. Le pli mouillé à la

54 William de Brailes, Christ marchant sur les eaux, v. 1240-1260.
Extrait d'une série de feuilles d'illustrations.

byzantine y survécut jusqu'au XIII<sup>e</sup> siècle avec une ténacité extraordinaire. L'exemple le plus extrême de ce style linéaire est celui de
l'évangéliaire offert à la collégiale de Saint-Cyriaque, Neuhausen,
vers 1197 (Karlsruhe Landesbibl. Cod. Bruchsal 1). Les enluminures exécutées sous la direction de Berthold, abbé du monastère
souabe de Weingarten entre 1200 et 1232, sont qualitativement
plus intéressantes. Le plus impressionnant de ces manuscrits, un
missel des alentours de 1216 (actuellement à New York, Pierpoint 56
Morgan Lib. Ms 710), tire visiblement parti, dans le détail, de ce
qui se faisait en Angleterre et dans le Nord de la France pendant le
XII<sup>e</sup> siècle. Les initiales, par exemple, sont ornées d'acanthes spiralées
à larges fleurs dont on a vu qu'elles étaient d'origine byzantine (voir
ci-dessus, p. 69). Même les visages rappellent, à bien des égards, le
style byzantin. La draperie colle encore aux personnages.

55 Matthew Paris, *Historia Anglorum,* frontispice. Vierge à l'enfant, avec l'artiste agenouillé, v. 1250.

56 Missel Weingarten. Crucifixion, v. 1216.

C'est au cours de ces mêmes années que surgit dans l'Empire ce qu'on peut considérer comme l'équivalent allemand des délicatesses anglaises et françaises de la première moitié du XIII⁰ siècle. Les ressemblances restent lointaines dans la mesure où la draperie, loin de retomber en courbes élégantes, est hérissée de formes angulaires assez agressives. Dans ce style dérivé du byzantin, les épis constituent en quelque sorte l'interprétation maniériste du trait visible, comme dans les mosaïques siciliennes du XII⁰ siècle. On en voit les premiers exemples dès la fin du XII⁰ siècle dans la partie septentrionale de l'Empire, notamment en Thuringe et en Saxe. La mode gagna l'Ouest et le Sud de la région rhénane qui en fournit de nom-

57 Le sommeil de Jessé. Détail de l'arbre peint au plafond de l'église Saint-Michel, Hildesheim, v. 1230-1240.

58 Retable de la Trinité. La Vierge Marie et saint Jean, v. 1230-1240 ? Jadis à Soest.

breux exemples, parmi lesquels nous retiendrons les deux psautiers produits pour le Landgrave Hermann de Thuringe († 1217 ; Stuttgart Landesbibl. H.B. II Bibl. 24 et Cividale Bibl. Comm. Codici Sacri 7). Parmi les œuvres plus ambitieuses du second quart du siècle, citons le plafond et l'autel de Soest, Westphalie (actuellement à Berlin), le plafond de Saint-Michael, Hildesheim et la peinture murale représentant la Crucifixion à Saint-Kunibert (Cologne, v. 1247). Le dernier de la série (il date peut-être des années 1260) est l'évangéliaire de Mayence (Aschaffenburg Hofbibl. N° 13). Le plafond d'Hildesheim se signale par une draperie en zigzag moins marquée et plus étroitement inspirée de l'art byzantin. Il se rapproche de deux splendides livres d'enluminures créés dans la même région : l'évangéliaire du prévôt de Kloster Neuwerk, Goslar (v. 1235-1240), actuellement au Rathaus de Goslar et le missel dont la cathédrale de Halberstadt (Domgymnasium Ms N° 114) fit l'acquisition entre 1240 et 1245.

L'ensemble de ce groupe soulève d'énormes problèmes d'interprétation. Le style expressif, marqué par l'abrupt des gestes et les contorsions inattendues de la draperie, est, dans les meilleurs cas, d'une puissance et d'une richesse rarement égalées. Ce style vécut près de quatre-vingts ans. Il finit par succomber devant l'attrait de la mode « parisienne ». Comme souvent, un art profondément enraciné dans les traditions locales allait céder le pas à une élégance plus prestigieuse mais somme toute plus banale.

59 Évangéliaire de Goslar. Page de titre. L'Adoration des mages, saint Matthieu et le Songe de saint Joseph, v. 1235-1240.

## CHAPITRE DEUX

## La suprématie de Paris, 1240-1350

Paris fut le foyer de la quasi-totalité des grandes réalisations artistiques de cette période au nord des Alpes. Il doit l'essentiel de cette
supériorité culturelle à l'existence de la cour et à l'intérêt pour les
arts du roi Louis IX (1226-1270). Louis n'était pas un simple
mécène. Universellement renommé pour sa justice et sa piété, il fut
canonisé en 1297. Les grands, qui se soumettaient à son jugement,
s'efforcèrent de rivaliser avec lui. Les encouragements qu'il prodi-
guait à la vie culturelle et artistique ajoutèrent à son rayonnement.
L'essor du mécénat séculier en sortit renforcé. Ses successeurs esti-
mèrent que la commande d'œuvres d'art destinées à enrichir le
patrimoine familial était un des attributs normaux de la royauté.
C'est avec lui que débute la surprenante histoire du mécénat royal
en France. Les productions artistiques de l'Ile-de-France acquirent
une réputation internationale. Ces aspects du règne de saint Louis
seront développés dans les chapitres suivants.

### L'ARCHITECTURE RAYONNANTE

Le style rayonnant tire son nom de la structure solaire des grandes
rosaces qui sont l'une de ses caractéristiques principales. Ces roses ne
représentent pourtant qu'un des aspects de l'évolution du fenestrage : les fenêtres, agrandies et ornées de dentelles de pierre, prirent
une place différente dans l'ensemble architectural. Le développement de ces entrelacs traduit une évolution importante dans les
préoccupations des architectes. Jusque vers 1225-1230, les meilleurs
architectes accordaient encore tous leurs soins à la structure de

l'édifice et aux techniques de construction. On ignorait les limites de l'arc-boutant. A l'origine, avec des églises comme celles de Reims, d'Amiens ou même de Beauvais, on visait surtout à reproduire à plus grande échelle le modèle institué par Chartres.

Ce gigantisme déboucha sur une crise technique avec l'effondrement du chœur de la cathédrale de Beauvais en 1284. Le désastre prouvait que les bâtisses gigantesques étaient vouées à la ruine si l'architecte ne savait pas calculer le rapport entre la hauteur des murs et l'importance de leurs supports. La voûte de Beauvais (52 m) était la plus haute des voûtes médiévales, juste avant celles de Cologne (50 m) et de Palma (46 m). La catastrophe de Beauvais incita les mécènes, d'un bout à l'autre de l'Europe, à faire appel à des experts chargés d'évaluer la stabilité des constructions effectuées ou en projet. C'est surtout au XIV$^e$ siècle que l'avis des experts prit de l'importance. On pensait que la concordance des avis compétents sur un édifice en garantirait la fiabilité. C'est à Chartres (1316) et à Sienne (1322) que furent formulées les premières recommandations de comités de cette sorte.

L'intérêt pour la décoration architecturale et les entrelacs de pierre avait surgi bien avant. Il s'était manifesté dès qu'on avait su utiliser les arcs-boutants. La surface de mur située entre les contreforts ne servant plus à supporter la voûte, on pouvait y percer des fenêtres. Dans la partie est de la cathédrale d'Amiens (apr. 1236), la zone du fenestrage est prolongée jusqu'au fond du mur du triforium, lequel est vitré. La surface comprise entre le sommet de la voûte et l'arcade principale devient de ce fait une immense fenêtre. Les entrelacs contribuent largement à créer cette impression ; la ligne des meneaux du clair-étage se prolonge jusqu'en bas par l'arcade du triforium.

Mais c'est vers Saint-Denis (apr. 1231) que nous devons nous tourner pour découvrir l'une des plus anciennes et des plus importantes églises du nouveau style. Non content de vitrer le triforium, l'architecte l'a relié, comme à Amiens, aux trois grandes fenêtres du clair-étage. Ces dernières se composent de quatre baies surmontées de trois *oculi*. Les colonnes verticales descendent jusqu'à la base du triforium et l'unité de l'ensemble est assurée par la cohérence de la

60 Abbaye de
Saint-Denis.
Intérieur, tran-
sept nord, apr.
1231.

structure décorative. Saint-Denis possède aussi la première des très
grandes rosaces du style rayonnant. Autre nouveauté, les tympans
inférieurs y sont évidés et vitrés. Ainsi la surface du mur supérieur
semble ne constituer qu'un seul panneau de verre. Toutes les surfaces de maçonnerie massive sont éliminées.

La façade des transepts de Notre-Dame de Paris est l'une des plus remarquables parmi les innombrables variantes et imitations du style de Saint-Denis. Nous avons signalé plus haut qu'à l'origine ses transepts ne devaient pas dépasser les collatéraux extérieurs. On décida de les prolonger pour les faire déborder comme la plupart des transepts des grandes églises du XIIIᵉ siècle, ce qui permettrait de les doter de deux gigantesques façades. La façade nord date sans doute des années 1250. La façade sud fut commencée en 1258. Elles se caractérisent, à l'intérieur comme à l'extérieur, par leur aspect élancé et l'apparence de bas-relief donnée aux sculptures. La pesanteur massive des façades initiales a diminué. Elles apparaissent plutôt comme des surfaces offertes, dedans comme dehors, au talent décoratif de l'architecte. Une partie de ces décorations se trouve dans les fenêtres à réseaux qui se prolongent devant les murs sous la forme soit de panneaux d'entrelacs sans ouverture sur l'extérieur, soit d'une doublure d'entrelacs ajourés mais non vitrés placée devant les arcades et les gâbles. Nombre de ces innovations avaient déjà été pratiquées à Saint-Denis et dans d'autres églises de style rayonnant. Par exemple, les triforia vitrés constituaient déjà une sorte de doublure en dentelle de pierre. Mais la façade de Notre-Dame de Paris, suivie par d'autres grands ensembles décoratifs, opérait une synthèse dont l'achèvement allait servir de tremplin à d'autres projets. Dans le vaste éventail des édifices de ce style, signalons, en dépit de ses dimensions relativement modestes, la chapelle royale de l'île de la Cité, ou Sainte-Chapelle. Construite vers 1240, consacrée en 62, 63 1248, elle devait abriter la très précieuse collection de reliques dont saint Louis avait fait l'acquisition et notamment la Couronne d'épines. Aussi la compare-t-on souvent à un gigantesque reliquaire. Sa surcharge décorative extérieure et intérieure renforce l'impression qu'on se trouve en présence d'une sorte de pièce d'orfèvrerie. A l'extérieur, on remarque les grands gâbles situés au-dessus des fenêtres et les arcs-boutants surmontés de pinacles, éléments qui se retrouvent dans le chœur d'Amiens et d'autres cathédrales du Nord. A l'intérieur, le spectacle est saisissant : toutes les surfaces sont

61 Notre-Dame. Extérieur du transept sud.

62 *(A gauche)* Sainte-Chapelle. Intérieur de la chapelle supérieure vers l'est,
1243-1248.

63 Sainte-Chapelle. Exté-
rieur, 1243-1248. La
rosace d'origine fut rem-
placée à la fin du XVᵉ
siècle.

couvertes de dorures ou de motifs décoratifs. Le dessin des arcades et
les statues sur piédestal des Apôtres rappellent étrangement la décoration des reliquaires en métal. Mais c'est à ses immenses vitraux
qu'elle doit l'essentiel de sa beauté. La rosace de la façade ouest
(remplacée à la fin du XVᵉ siècle) et les fenêtres latérales occupent
presque toute la surface. Les vitraux confèrent à l'intérieur de la chapelle des allures de joyau étincelant. La Sainte-Chapelle bouleversait
de fond en comble les normes de la splendeur décorative.

Trois autres monuments témoignent de l'application des idées parisiennes à différents contextes. La façade orientale de la cathé-
64 drale de Carcassonne, construite après 1269, emprunte de nombreux traits au style parisien. Le mur de transepts comporte une vaste rosace qui surmonte des réseaux de pierre. Dans les autres murs s'ouvrent de grandes fenêtres à réseaux qui entourent des panneaux d'entrelacs de pierre. Les cloisons qui séparent les chapelles, traver-sées par les rayons de lumière qui percent les entrelacs, prennent ainsi l'apparence de fenêtres non vitrées. Seuls le chœur et les tran-
65, 66 septs de Saint-Urbain de Troyes, autre édifice majeur du style rayonnant (fondée en 1262), furent achevés au Moyen Age. Bien qu'il s'agisse d'une chapelle familiale, avec ses gâbles délicatement ajourés et ses entrelacs non vitrés, elle revêt nettement la même allure de reliquaire que la Sainte-Chapelle, du moins dans sa partie orientale. Son originalité réside dans l'absence de rosace aux tran-septs. Mais l'intérieur possède toutes les autres caractéristiques du style rayonnant : grandes fenêtres à réseaux, triforium vitré,

92

64 *(Page de gauche)* Saint-Nazaire, Carcassonne. Transept nord, apr. 1269 ; et 65 Saint-Urbain, Troyes. Intérieur de la nef, vu vers l'est. Fondée en 1262.

67 *(A droite)* Saint-Thibault-en-Auxois. Intérieur du presbytère, v. 1300.

66 *(Ci-dessous)* Saint-Urbain, Troyes. Extérieur, vu du sud-est.

doublure de pierre ajourée et panneaux d'entrelacs aveugles. Saint-Thibauld en Bourgogne constitue le dernier exemple de ce style. Le chœur fut reconstruit aux environs de 1300. Il abritait les reliques de saint Thibauld. L'utilisation systématique des réseaux de pierre, tantôt vitrés, tantôt ajourés, tantôt aveugles (adossés à un mur), engendre une certaine monotonie. L'effet produit par les parties de l'édifice qui ont survécu n'en est pas moins remarquable. Le bilan de la période ne présente pas que des aspects positifs. Le triomphe du grandiose sur le détail était lié à la modification du statut de l'architecte et représentait la victoire de ce qui, au XIIIᵉ siècle, portait le nom de science (ou intellect), sur l'art (ou artisanat). Les architectes ne se voulaient plus maçons ou tailleurs de pierre mais géomètres : la création des motifs d'entrelacs supposait une solide connaissance des modalités d'utilisation des figures géométriques de base. Au cours de ce processus, moulures et chapiteaux s'amenuisèrent et perdirent de leur importance avant de disparaître complètement.

Après 1260, rares sont les églises françaises dont les détails méritent qu'on s'y attarde. En France, l'esprit d'invention architectural devait d'ailleurs entrer dans une phase de stagnation dès les années 1300. L'influence de Paris était devenue tyrannique. L'architecture religieuse française du XIVᵉ siècle semble engluée dans son répertoire. Une église comme Saint-Ouen de Rouen (commencée en 1318) se contente de réaffirmer, avec des variations dans les entrelacs et une grande recherche dans les moulures, l'idée que s'était faite le XIIIᵉ siècle de l'église monumentale à trois étages.

Le style rayonnant se transporta rapidement en Rhénanie. La
68 cathédrale de Cologne (commencée en 1248) ne l'emporte sur les cathédrales françaises que par ses dimensions. La seule partie achevée au Moyen Age, le chœur, constitue une sorte de catalogue des idées essentiellement parisiennes désormais familières. L'architecte, allemand, semble n'avoir pas surmonté son admiration pour les nouveaux chœurs des cathédrales d'Amiens et de Beauvais.
69 Autre édifice rayonnant, la nef de la cathédrale de Strasbourg (apr. 1240) est exceptionnellement vaste, pour des raisons

68 Cathédrale de Cologne. Intérieur du chœur. Commencée en 1248, consacrée en 1322.

94

69 Cathédrale de Strasbourg. Intérieur de la nef, vu vers l'ouest. Commencée v. 1245.

techniques liées au réemploi des fondations préexistantes. Son élévation reprend toutefois celle de Saint-Denis. Sa façade ouest comporte
des éléments originaux par rapport au style rayonnant. La façade
actuelle fut commencée en 1272 par un architecte allemand du nom
d'Erwin, qui avait probablement étudié les façades de Paris et de
Reims. Sans doute connaissait-il aussi Saint-Urbain de Troyes. Il
privilégia les dentelles de pierre qui jaillissent très librement, déta-
chées de la façade qu'elles décorent. L'ensemble devait être couronné
de sveltes tours-lanternes ajourées et sommées de flèches, qui ne
furent jamais construites (la tour actuelle est le résultat des modifications effectuées vers la fin du XIVe siècle). Les plans en étaient
pourtant connus. Ils allaient servir de base au plan définitif de la

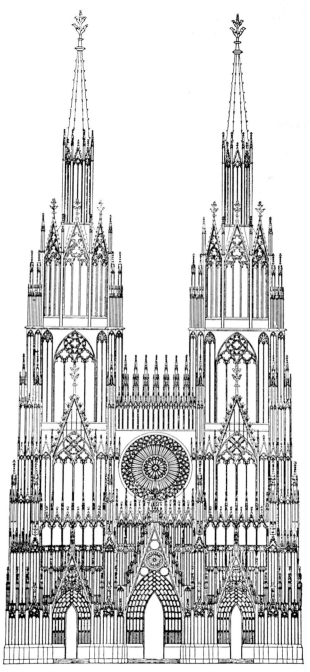

70 Cathédrale de Strasbourg. La façade telle qu'elle était prévue en 1277.
Élévation fondée sur un dessin d'architecte encore à Strasbourg.

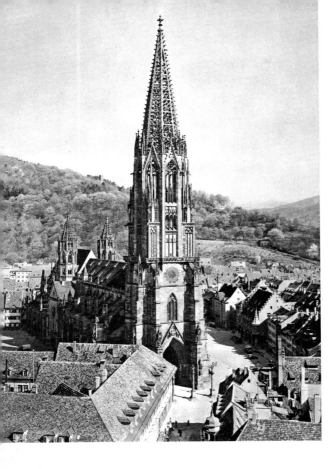

71 Cathédrale de Fribourg-en-Brisgau. Tour et clocher ouest, v. 1330.

façade ouest de la cathédrale de Cologne (terminée au XIX$^e$ siècle),
71 ainsi que de la tour et de la flèche ajourée de Fribourg-en-Brisgau
(v. 1330), achevées au XIV$^e$ siècle.

Les cathédrales de Cologne et de Strasbourg furent construites sur
le modèle des basiliques. La nef y est plus élevée que les collatéraux,
suivant un schéma, fréquent en Allemagne, dont le premier exemple
est Sainte-Elisabeth de Marbourg (voir ci-dessus, p. 37). Dans le
traitement du détail, ces églises suivirent une évolution prévisible au
regard de ce qui était advenu en France. Les moulures s'amincirent,
les fenêtres s'élargirent, les entrelacs se compliquèrent, comme dans
72 l'église Sainte-Catherine d'Oppenheim. La Wiesenkirche de Soest
(commencée en 1331) consacre la disparition totale des chapiteaux.

98

Les principales nervures de la voûte descendent directement jusqu'au plancher. Du plan basilical ne subsiste que l'alignement des grandes voûtes à une même hauteur. Dans une église aux dimensions imposantes, ce dispositif offrait à l'architecte désireux d'inventer de nouvelles voussures une immense surface de travail. Mais ce n'est que dans la seconde moitié du XIV^e siècle que les architectes allemands commencèrent à exploiter les possibilités de cette configuration. Une des bizarreries de l'histoire de cette période est qu'ils allèrent chercher en Angleterre une partie de leur inspiration. Mais les voûtes allemandes les plus spectaculaires datent du XV^e siècle et leur étude déborde les limites de cet ouvrage.

En Angleterre, le cours des événements fut moins direct. La seule grande église qui puisse vraiment se réclamer du style rayonnant est

72 Wiesenkirche, Soest. Intérieur de la nef, vu vers l'est. Commencée en 1331.

l'abbaye de Westminster dont Henri III entreprit la reconstruction
en 1245. Les parties du XIIIᵉ siècle encore visibles datent probablement de cette époque. Il la laissa inachevée à sa mort en 1272. Bien que construite à la fin du XIVᵉ et au XVᵉ siècle, une grande partie de la nef constitue une habile imitation du style du XIIIᵉ siècle. Certes, tout n'y est pas français. La forme des piles rappelle Salisbury et l'adjonction d'une galerie de tribune rompt avec le modèle de l'Ile-de-France. Reste que l'architecte avait étudié de près les réalisations parisiennes. D'une hauteur exceptionnelle pour l'Angleterre, le clair-étage est en sus particulièrement étroit, et soutenu de l'extérieur par des arcs-boutants. C'est la première grande église où l'on ait renoncé à toute circulation dans le clair-étage. Ignorant la galerie qui la longe, la tribune reproduit la double paroi de dentelle de pierre courante dans les triforia vitrés chers aux Français. Pour la première fois en Angleterre, l'abside constituait une honnête reproduction des chevets à la française. La façade des transepts et les rosaces monumentales s'inspirent fortement des façades rayonnantes des transepts de Saint-Denis. La Sainte-Chapelle exerça également une influence considérable sur Westminster, dont les murs sont décorés de manière somptueuse. La plupart des peintures ont disparu, mais les losanges sculptés abondent et de nombreux tympans sont ornés de personnages et de feuillages. Certaines de ces innovations – les contreforts extérieurs, par exemple – ne rencontrèrent visiblement pas l'adhésion des maçons anglais. Pourtant son retentissement fut profond : l'abbaye de Westminster lança en Angleterre la mode du réseau de pierre. La salle du chapitre, avec ses immenses fenêtres à réseau, marque une date dans la mesure où elle remonte pour l'essentiel à 1253. Si l'influence de ses façades rayonnantes fut relativement limitée, elle trouva un écho immédiat dans la partie orientale du Vieux Saint-Paul dont la reconstruction commença en 1258. Le projet incluait une rosace monumentale. Des tympans ornés d'entrelacs de pierre devaient être coiffés d'une série de lancettes qui prolongeraient le triforium vitré dans le même style. Pour donner, semble-t-il, à la façade une allure authentiquement française, la

73 Abbaye de Westminster, Londres. Transept sud, apr. 1245. On distingue la double paroi de la galerie de tribune.

partie centrale devait reposer de part et d'autre sur une double rangée d'arcs-boutants. Mais l'absence de doubles collatéraux fait que les contreforts portent de manière gênante sur le centre des fenêtres des bas-côtés. Westminster diffère enfin des autres églises d'Angleterre par la rareté des colonnettes groupées et des nervures de voûte. La comparaison avec la nef de la cathédrale de Lincoln est éloquente à cet égard. Fait intéressant, à Lincoln (commencée en 1256) l'architecte du Chœur des anges associa une nef traditionnelle aux principaux éléments décoratifs de Westminster. Colonnettes et nervures y côtoient les tympans ajourés ou sculptés. La galerie de tribune et le clair-étage comportent des doubles parois de réseau de pierre et de vastes fenêtres ornées d'entrelacs. Notons que l'architecte ne fit

74 Cathédrale du Vieux Saint-Paul, Londres. Élévation est.

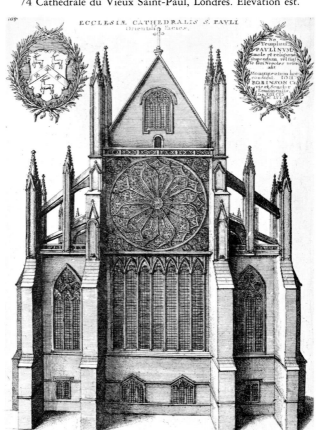

75 Cathédrale d'Exeter. Intérieur de la nef, vers l'est. Reconstruction entamée avant 1280, nef du XIV$^e$ siècle.

aucun effort pour construire la façade orientale dans le style rayonnant illustré par l'abbaye de Westminster.

L'Ouest du pays, indifférent à ce qui se passait à Londres, exploita à fond les vertus décoratives des moulures, des colonnes et des nervures. Ces éléments expliquent l'impact visuel de la cathédrale d'Exeter (commencée av. 1280), la réussite de l'arrière-chœur 75 de la cathédrale de Wells (commencée en 1285) et de sa remarquable salle du chapitre (début XIV$^e$ siècle). Mais l'essentiel est que Westminster provoqua un véritable engouement pour les entrelacs de pierre, qui permettaient d'innombrables variations décoratives. Il est vrai que le plan de la cathédrale de Lincoln ne comporte pas de galerie de tribune, comme l'exigeaient les canons internationaux.

103

On est tout de même frappé par la lourdeur de ses détails. Les voûtes donnent une impression de pesanteur d'autant plus écrasante que l'ensemble manque de continuité : les colonnes ne sont pas d'un seul jet et le triforium est séparé du clair-étage dont les fenêtres, engoncées sous la voûte, n'améliorent que médiocrement l'ensemble.

C'est à ce moment de l'histoire de l'architecture anglaise qu'on entre dans ce qu'on appelle pudiquement la période décorée. Les années 1280-1350 furent celles du tâtonnement. Force nous est de laisser de côté des chefs-d'œuvre comme le chœur de la cathédrale de Bristol et l'octogone de la cathédrale d'Ely, pour nous tourner vers ce que le recul historique nous permet de percevoir comme le courant principal. Notons que les traditions encore visibles à Lincoln et Exeter reculèrent peu à peu devant la version typiquement anglaise du style rayonnant qu'on appelle le style perpendiculaire.

Comme on pouvait s'y attendre, Londres demeura au centre de cette évolution. Nous commencerons toutefois par un édifice remarquable situé hors de la capitale, la nouvelle nef de la cathédrale d'York (inaugurée en 1291). La largeur de cet édifice gigantesque interdit la comparaison avec ses analogues français. Mais si on le compare à Strasbourg, par exemple, on voit combien il se rattache au style rayonnant. On est loin des lourdeurs d'Exeter. Les nervures de voûte reposent sur des colonnes d'un seul tenant. L'absence de galerie de tribune permet par ailleurs aux réseaux de pierre du clair-étage de se prolonger dans les arcades du triforium, qui n'est pas vitré. Sur ce point, sans doute faut-il rapprocher York de la cathédrale de Clermont-Ferrand (commencée en 1248) ou de celle de Narbonne (commencée en 1272).

La voûte de York se démarque à la fois des modèles français et des modèles européens. De même que sur le continent, elle présente des nervures transversales et diagonales, mais comme la plupart des voûtes anglaises, elle possède une nervure d'arête. Entre ces nervures principales, l'architecte a disposé de petites nervures annexes, les liernes, qui allaient renouveler le concept même de voûte. A York, ce dispositif ne passe pas par la multiplication des nervures

76 York Minster. Nef, arcade sud. Fondée en 1291.

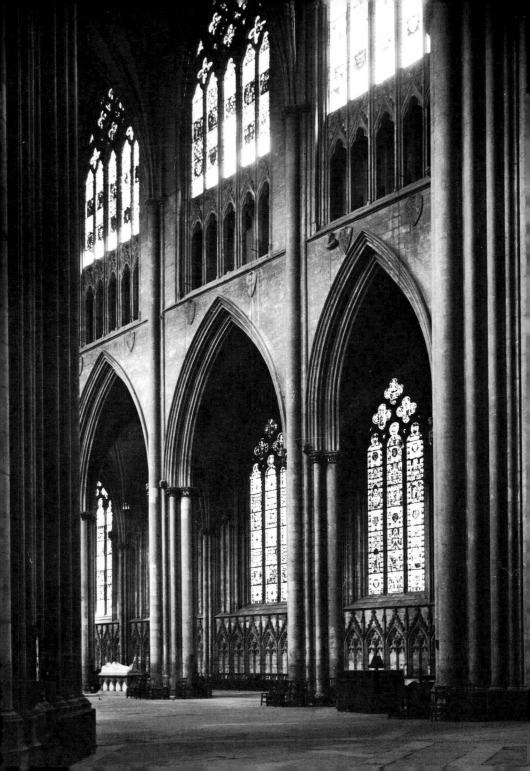

principales, comme à Exeter, mais au contraire par leur raréfaction, qui laisse le champ libre à l'utilisation des espaces intermédiaires. Les liernes furent peut-être inventées à Londres. On en trouve dans la partie inférieure de la chapelle Saint-Stephen à Westminster. Cette chapelle royale, commencée en 1292, devait être épargnée par l'incendie de 1834. L'architecte avait intégré à la voûte à liernes le panneau d'entrelacs de pierre récemment inventé par les Français. A l'extérieur comme à l'intérieur, des panneaux aveugles furent utilisés pour couvrir les murs. Ce jeu d'innovations fit son apparition 77 dans le chœur de la cathédrale de Gloucester (commencé peu après 1330). Cette église devait accueillir le tombeau d'Edouard II. Sa réussite tient visiblement à l'usage des réseaux de pierre (aveugles, ajourés ou vitrés) qui descendent jusqu'au sol au lieu de ne couvrir que le clair-étage et l'étage intermédiaire, comme à York. A quoi il faut ajouter une voûte à liernes d'une complexité jusqu'alors inconnue. Dernière conséquence de cette évolution dont l'origine demeure incertaine, le système traditionnel de décoration des voûtes fut remplacé par un réseau d'entrelacs semblable à ceux qu'on utilisait pour les surfaces verticales. Nous évoquerons cette apparition de la voûte en éventail dans notre dernier chapitre.

En Espagne, la contribution du style rayonnant se limite, pour ce qui est des grands édifices, aux cathédrales de León et de Tolède. La 78 cathédrale de León, commencée en 1255, est presque contemporaine de celle de Cologne. Comme à Cologne, le plan et l'élévation sont d'inspiration française. Certains détails, tels la forme des fenêtres et le dessin des pilastres, rappellent Reims, inspiration confirmée par le grand clair-étage lié à un triforium vitré. La reconstruction de la nef et des transepts de la cathédrale de Tolède fut entreprise aux environs de 1300. A l'exception de la voûte, c'est à York que cette nef fait songer : l'arcade de triforium (transformée depuis en simple fenêtre dans le cas de Tolède) est munie de petites arches alignées sur les étroites fenêtres dont elles sont coiffées. Peut-être faut-il y voir aussi l'influence de Clermont-Ferrand et de Narbonne, bien que le triforium n'en fut jamais vitré. Reste que les supports de voûte de

77 Cathédrale de Gloucester. Chœur, vers l'est, commencé peu après 1330.

106

Tolède, avec leurs grosses colonnes verticales soudées et leurs lourds chapiteaux, étaient déjà démodés à la date de leur conception.

Le début du XIV$^e$ siècle vit la création de trois grands édifices : Gérone (commencée v. 1292), Barcelone (commencée en 1298) et Palma de Majorque (commencée v. 1300). Aucun n'a de lien structurel évident avec le style rayonnant. Leur plan les rattache plutôt à un groupe d'églises dont la plus remarquable est celle d'Albi (commencée en 1281). Une ligne continue de hautes chapelles périphériques s'y intercale entre les principaux contreforts (sauf dans la

79 Cathédrale de Barcelone. Intérieur, vu vers l'est. Commencée en 1298.

partie orientale de Palma). Mais, contrairement à Albi, ils disposent de bas-côtés dotés de très hautes arcades intérieures que coiffe un étage relativement bas logé dans la courbure de la voûte. Ce dispositif, emprunté à la partie est de Tolède, semble s'être inspiré de l'exemple de Bourges. Pourtant ces églises ne rappellent ni Bourges ni Tolède et ne se ressemblent guère. Barcelone est sans doute la plus 79 importante, l'architecte y ayant introduit une galerie de triforium dont il a souligné l'horizontalité – détail qui devait se retrouver dans des églises comme celles de Séville ou d'Astorga.

Le règne de saint Louis marque une étape décisive dans l'histoire du mécénat de cour. Il était certes arrivé à des rois ou à des empereurs de faire bâtir des chapelles ou des palais et de passer commande à quelques artistes. Mais avec saint Louis, la cour de France se définit comme le centre du développement artistique du Nord de l'Europe, occupant une place qu'elle ne devait pratiquement plus quitter. Dans le reste de l'Europe, l'art se bornera souvent à refléter, avec les distorsions dues à la distance et aux traditions locales, les innovations parisiennes.

Nous avons vu comment saint Louis lança la mode des somptueuses chapelles de palais. Il fut aussi, en un sens, le premier bibliophile à se faire bâtir une bibliothèque sur mesure. On retrouve dans le domaine de la sculpture les caractéristiques du style de cour : la fragilité et l'élégance des manuscrits influencent en effet les 31 sculptures de Reims ; le Maître de Joseph semble en être une incarnation vraisemblable. La principale sculpture qui ait survécu en la Sainte-Chapelle suggère que l'évolution emprunta des voies plus indirectes. Stylistiquement, on peut dire que la sculpture qui 81 annonce le mieux les Apôtres de la Sainte-Chapelle (av. 1248 ?) est la Vierge dorée d'Amiens (apr. 1236) de par sa pose et sa fragilité. Mais la draperie, bien plus lourde que celle du Maître de Joseph, forme de grands plis en retombant. Elle demeure toutefois une exception, et la plupart des sculptures du siècle à venir oscilleront entre le style de Reims et celui de la Sainte-Chapelle. Les détails concernant cette période restent très obscurs. On a parfois l'impression d'assister à une sorte de stagnation stylistique. Par exemple, si l'on compare la sculpture de 1140 et celle de 1240, l'une incarne sans aucun doute les changements opérés, tandis que l'autre 80 demeure en retrait, si du moins la Vierge de Jeanne d'Évreux fut exécutée peu de temps après la sculpture de Reims (on sait qu'elle date au plus tard de l'année 1339). Il est vrai que le rapprochement ne vaut pas pour toutes les sculptures de cette époque. Tel est le cas 82 de la Vierge de Saint-Aignan (maintenant à Notre-Dame de Paris), revêtue de longues draperies dont les nombreux plis forment des

80 Statuette argentée de la Vierge à l'enfant, offerte en 1339 par Jeanne d'Évreux à la basilique de Saint-Denis.

arêtes acérées. On la date généralement de 1330, mais, en l'état actuel de nos connaissances, on ne peut la présenter que comme une déviation par rapport à une norme hypothétique. En règle générale, cette période n'apparaît pas comme l'une des meilleures pour la sculpture architecturale. Les nombreux portails de la deuxième moitié du XIIIᵉ siècle (à Bourges et Poitiers) ne sont que la réplique des portails de Paris, d'Amiens ou de Reims, dans un style moyen-gothique sans grande distinction.

Une des innovations très évidemment liées au style rayonnant ne rencontra guère les faveurs du public : le remplacement des linteaux horizontaux qui divisaient le tympan par de grandes dentelles de pierre. On retrouvait ce dispositif dans l'église Saint-Nicaise à Reims (fondée en 1231), aujourd'hui détruite. La cathédrale de Reims avait un tympan vitré. On s'orienta ensuite de préférence vers les tympans sans vitraux comme à Sens (apr. 1268) et Saint-Urbain de Troyes (fondée en 1261) mais l'idée ne fit pas école. D'autres

81 Apôtre. Sainte-Chapelle, Paris, v. 1243-1248.

82 Notre-Dame de Paris. Vierge à
l'enfant de Saint-Aignan, v. 1330.

modes connurent une brève popularité, par exemple l'utilisation
extensive de trèfles à quatre feuilles sculptés dans la partie basse des
montants du portail (comme pour les portails du transept de la
cathédrale de Rouen, apr. 1281).

Le genre qui se répandit le mieux durant cette période fut la
sculpture commanditée par des mécènes anonymes et en relation
directe avec leurs intérêts privés – la sculpture liée aux palais dynas-
tiques, aux chapelles familiales et aux mausolées. Ne subsistent que
celles qui ornent les tombeaux, et encore de manière plutôt fragmentaire. Louis IX, qui avait un sens dynastique très aigu,
commandita une série de monuments assurant la réintégration des

83 Abbaye de Saint-Denis. Tombeau de
Dagobert I$^{er}$ († 638), v. 1260. L'un des
nombreux monuments édifiés par saint
Louis. De nombreuses restaurations n'ont
pas ôté à ce monument son caractère profondément gothique.

84 Abbaye de Saint-Denis. Tombeau de
Louis de France, fils aîné de saint Louis
(† 1260). Provient de l'abbaye de Royaumont.

85 Abbaye de Saint-Denis. Effigie de Philippe IV le Bel († 1314). Commandée en 1327. Moins individualisée que le célèbre portrait de Philippe III le Hardi, elle ne manque pas de caractère, avec ses longues lèvres minces et son nez épaté.

membres carolingiens et capétiens de sa lignée. Ils furent exécutés peu après 1260. La statue de Dagobert (Saint-Denis), qui fut restaurée, a pour principal intérêt d'avoir gardé son dais original. 83 Aucun autre dais n'a survécu, contrairement aux bustes ornant les tombes. Les côtés de celles-ci sont maintenant décorés de figurines dans des arcades représentant des pleureuses, parfois accablées de douleur. Un des autres motifs était la procession funéraire du 84 défunt. Une modification importante affecta l'effigie : plus d'attention fut portée à la ressemblance du visage de la figurine avec celui de la personne censée être représentée. C'est ainsi que naquit une véritable représentation du visage. 85

L'abbaye de Westminster, qui a subi une influence française, n'a que peu d'importance pour ce qui est de la sculpture. Certaines idées concernant l'utilisation et la mise en place des sculptures étaient de toute évidence françaises. Le portail principal nord possède des figurines de colonne et le tympan fut divisé un peu à la manière de

86 *(A gauche)* Monastère de Southwell. Chapiteaux foliés de type naturaliste à l'entrée de la salle du Chapitre. V. 1295.

88 *(A droite)* Abbaye de Westminster, Londres. Vierge de l'Annonciation, entrée de la salle du Chapitre, 1253 ?

87 *(Ci-contre)* Ange à l'encensoir, transept sud de l'abbaye de Westminster. Années 1250 ?

Saint-Nicaise de Reims. Les sculptures de tympan reflètent largement l'influence de la Sainte-Chapelle. Cependant le *style* des sculptures qui ont survécu n'est pas celui de la France contemporaine, mais constitue plutôt un composé des styles de Chartres, Amiens et Wells vers 1220-1225. On chercherait en vain les lourds 87, 88 plis des drapés des sculptures de la Sainte-Chapelle et des statues plus tardives de Reims. C'est seulement avec la sculpture du Chœur des anges de Lincoln (apr. 1256) qu'ils firent leur apparition.

Durant la seconde moitié de ce siècle, la mode des feuilles sculptées de façon naturaliste, que l'on avait déjà notée à Reims et Naumbourg, s'étendit à l'Angleterre. Elle se manifeste de façon plus éclatante qu'ailleurs en Europe, dans le chapitre de Southwell 86 (années 1290). L'intérêt de cette brève phase réside dans le fait que, sans doute pour la dernière fois dans l'histoire de l'architecture médiévale, des chapiteaux y furent utilisés comme centres d'intérêt indépendants. La tendance de l'époque consistait à subordonner les parties individuelles d'une construction à la création d'un

89 Abbaye de Westminster, Londres. Tombeau d'Edmund « Crouchback », comte de Lancastre († 1296). V. 1296. Il s'agit d'un des nombreux tombeaux commandités par la famille royale pour entourer le reliquaire d'Édouard le Confesseur dans l'abbaye.

90 *(A droite)* Cathédrale de Gloucester. Tombeau d'Édouard II († 1327). V. 1330-1335.

effet d'ensemble. De même qu'en France, la plupart des travaux de sculpture individuels furent désormais des initiatives familiales. Tout comme le monument de Dagobert (voir p. 115), le tombeau d'Edmund « Crouchback » a un grand dais, et comme certains monuments français contemporains, ses côtés sont ornés de « pleureuses » familiales. De temps à autre, d'importants monuments s'écartent de ce schéma général mais aucun davantage que celui d'Édouard II (apr. 1330). Imitant une mode originaire de la cour de France l'effigie n'est pas de bronze ou de pierre peinte mais d'albâtre. Le dais, lui, diffère de tout ce que nous savons des monuments de cour français ou anglais par ses rangées d'arcades ouvragées. Les exemples les plus proches, en dehors de l'Ouest de l'Angleterre, se trouvent, bizarrement, dans les tombeaux des papes d'Avignon.

La façade ouest de Strasbourg (commencée en 1277) a déjà été mentionnée (voir p. 96). Une grande partie de sa décoration sculptée a survécu et emprunte souvent son style délicat au Maître de Joseph de Reims. Les Vierges folles et les Vierges sages qui réapparaissent

118

91 (*A gauche*) Cathédrale de Cologne. Chœur. Statue de saint Matthieu. Sans doute peu avant 1322.

92 (*A droite*) Cathédrale de Strasbourg. Façade ouest. Trois prophètes. V. 1300.

ici sont bien plus sobres que leurs aînées de Magdebourg mais leurs mouvements et leurs gestes sont tout de même très maniérés. Les
92 Apôtres du porche central sont plus difficiles à situer d'un point de vue stylistique. Souvent leurs visages sont masqués par des barbes embroussaillées et méticuleusement bouclées, à la manière du Maître de Joseph ; les corps sont cachés sous des drapés volumineux qui tombent en une théâtrale avalanche de plis, et leur expression générale atteint une intensité étrangère à celle de Reims, mais qui a dû tirer son inspiration des toutes premières sculptures gothiques de Strasbourg. Le style délicat et élégant de Strasbourg est le plus représentatif de toute cette période. Le portail ouest de Fribourg-en-Brisgau (v. 1300) dérive directement de Strasbourg. Les sculptures
91 du chœur de la cathédrale de Cologne en sont aussi très proches. Les principaux portails de cette période, en Espagne, sont ceux des
93 cathédrales de León et Tolède. Ceux de León datent de la deuxième moitié du siècle. Le porche ouest semble s'inspirer de celui de

120

93 Cathédrale de León. Portail ouest. *Portada del Virgen Blanca*. Seconde moitié du XIII<sup>e</sup> siècle.

94 Cathédrale de Burgos. Tombeau de Gonzalo de Hinojosa, v. 1327 ?

Chartres ; mais les sculptures s'apparentent d'abord à Burgos puis à Amiens ou à Reims. Comme le voulait la mode de l'époque, on sculpta sur les portes un abondant feuillage à caractère naturaliste. Les portails de Tolède furent ajoutés à la nef et aux transepts de construction récente durant la première moitié du XIVe siècle et le style des figurines est conforme au type gracieux du gothique que l'on a pu trouver partout ailleurs à cette époque. Chose remarquable, l'Espagne possède un nombre très important de sépultures de cette période, qui, si on les considère de façon groupée, illustrent bien les tendances déjà remarquées ailleurs. L'époque aimait particulièrement les scènes dramatiques sur ces monuments et il en existe un grand nombre qui comportent dans leur décoration une procession funéraire. Le tombeau de l'évêque Gonzalo de Hinojosa 94 († 1327) en offre un bel exemple, à Burgos, puisqu'il combine un véritable art de l'effigie et une décoration tombale de très haute qualité.

On sait que Louis IX construisit une bibliothèque de manuscrits et qu'il avait lui-même commandité nombre d'ouvrages. Seuls quelques-uns ont survécu ; ils marquent le début d'un nouveau style. Les principaux exemples sont le psautier personnel de Louis (Paris, Bib. Nat. Lat. 10515), exécuté entre 1252 et 1270, date de sa mort ; le psautier de sa sœur, Isabelle de France (Cambridge, Fitzwilliam Ms 300) ; et l'essentiel des évangéliaires en deux volumes de la Sainte-Chapelle (Paris, Bib. Nat. Lat. 8892 et 17326). Le psautier de Saint-

95 Louis est un livre luxueux avec un groupe préliminaire de soixante-dix-huit pleines pages d'enluminures représentant des scènes de l'Ancien Testament. Elles sont remarquablement uniformes dans leur conception. Chaque page contient une rangée de figures surmontée d'un beau dais architectural dont le dessin est emprunté au style rayonnant de l'époque, avec des pinacles, des vitraux et deux larges pignons contenant chacun une rosace. On peut noter que ce type de décoration se retrouve également dans les petits reliquaires des orfèvres, ce qui montre que le style rayonnant était d'abord un style de décorateur, soucieux, en architecture, de disposer des formes plutôt que de jouer avec les masses. Nombre de motifs du style rayonnant pouvaient passer sans mal de la table de l'architecte au vélum de l'enlumineur. Les motifs architecturaux tiennent aussi une place importante dans le psautier d'Isabelle et l'évangéliaire de la Sainte-Chapelle.

Dans ces manuscrits, toute trace de raideur dans le dessin du vêtement finit par disparaître. Le drapé tombe avec un certain réalisme. Il pend avec naturel, formant des plis souples et larges en forme de V, proches de ceux que nous avons vus dans la sculpture. Les proportions et les gestes des personnages sont délicats, leurs longs bras ont des mouvements expressifs. Mais c'est sans doute au niveau des têtes que le changement est le plus évident. Elles sont petites par rapport aux corps colorés. Les traits du visage, qui ne doivent rien à la couleur mais tout au dessin, sont de petits miracles d'exécution. Dans la formation de ce style, on sent l'influence de la sculpture. L'élégance générale du style avait été précédée par celle du Maître de

31 Joseph à Reims, et la stylisation de la chevelure, faite de minuscules

95 Psautier de Saint-Louis. Balaam et son âne, 1252/1270.

boucles spiralées, rappelle aussi son œuvre. En outre, les minuscules visages sans menton des personnages féminins se rapprochent des anges et des femmes souriantes de Reims. Ainsi les maçons semblent avoir participé de façon notable à la création de la tendance stylistique dont relève le psautier de Saint-Louis. Pour ce qui est des deux autres livres, on doit remarquer une innovation particulière qui n'apparaît pourtant pas dans le psautier de Saint-Louis. Il s'agit des enluminures des pages de texte. Normalement, la décoration de ces pages se limitait à l'enluminure des principales initiales du texte, mais au cours de cette période, la décoration commença à se répandre dans les marges. Les enluminures de Louis ne faisaient que suivre une mode établie en Angleterre et dans le Nord de la France (voir p. 140) mais avec une grande élégance. Les noms des enlumineurs de Louis IX ne sont pas connus. On sait que l'un des artistes de son petit-fils s'appelait Maître Honoré, et qu'il travaillait pour la cour de Philippe le Bel (1285-1314). Mais on connaît mal sa carrière. Il vécut à Paris sur la rive gauche et il est mentionné à trois reprises dans des documents (en 1288, 1293 et 1296). Il semble qu'il soit mort avant 1318. Un petit nombre de manuscrits peut lui être attribué et il apparaît clairement qu'à son époque le style des peintres de Louis IX avait subi un changement significatif.

Ses enluminures sont très gracieuses et élégantes, mais les motifs architecturaux jouent un moins grand rôle dans la décoration. Les visages et les mains sont extrêmement pâles ; la couleur disparaît presque totalement, au profit du dessin. Par contraste, le drapé est plus riche et les plis plus lourds. Cette caractéristique est la conséquence du développement de la technique du modelé, suggéré au moyen de jeux d'ombre et de lumière. La surface extérieure des plis donne la sensation d'une forte lumière blanche. Ce développement n'est pas sans intérêt, car il présente peut-être la première trace d'une influence de la peinture gothique italienne sur le Nord. Le grand problème est celui de la datation. Le plus ancien manuscrit daté, de l'échoppe d'Honoré, fut réalisé avant 1288 mais dès 1278 ce modelé apparaît dans une martyrologie de l'abbaye de Saint-Germain-des-Prés (Paris, Bib. Nat. Lat. 12834). En Italie, le développement de ce type de modelé est associé au maître romain Cavallini et au « Maître d'Isaac ». Bien que la partie connue de la carrière de Cavallini commence en 1273, rien n'a survécu de ce qui précède les années 1290 (voir p. 183). Ce modelé d'origine italienne a sans doute été transmis en France mais les détails manquent pour reconstituer correctement le puzzle. Le travail d'Honoré marque une nouvelle étape dans l'évolution de l'enluminure parisienne. Les longues excroissances qui caractérisaient les premiers manuscrits se transformèrent en feuillage, puis apparurent les premières feuilles de lierre pointues qui allaient envahir les manuscrits parisiens pendant plus d'un siècle. Le manuscrit d'un livre d'heures, maintenant à Nuremberg (Stadtbibliothek, 97 Solger), a une mise en page qui fut universellement adoptée pour les livres d'heures durant le XIV$^e$ et le début du XV$^e$ siècle. Le manuscrit de Nuremberg est déroutant parce que son contenu montre qu'il avait sans doute été conçu pour être utilisé en Angleterre ou par quelqu'un qui avait des liens avec l'Angleterre. Pourtant il semble qu'il ait été fabriqué à Paris. La page d'ouverture illustre le commencement des Heures de la Vierge. Le haut de la page est rempli par une illustration, qui est encore en relation avec les initiales. De cette illustration jaillit un feuillage décoratif qui bifurque vers le bas et s'enroule autour du texte. Ce procédé a l'intérêt de permettre aux branches vertes de lier le texte et l'image ; l'effet ainsi produit est fort plaisant et il n'est pas surprenant que ce schéma ait eut un large succès.

La tradition d'Honoré fut probablement perpétuée par son gendre Richard de Verdun, connu pour avoir participé à la construction de la Sainte-Chapelle en 1318. Malheureusement, il n'existe aucun livre qui puisse lui être attribué ; et l'enlumineur royal suivant, dont l'œuvre a pu être identifiée, est Jean Pucelle. Ce dernier apparaît pour la première fois dans un livre de comptes fait entre 1319 et 1324, puis dans le colophon d'un livre daté de 1327. Nous ne possédons aucune autre information documentaire mais son nom figure dans quelques annotations marginales d'un bréviaire d'avant 1326. 98 Il existe des livres qui peuvent lui être attribués jusqu'au milieu du siècle, en tout plus d'une douzaine.

96 La Somme le Roy, enluminure de Maître Honoré. L'Humilité, l'Orgueil, le Pécheur et l'Hypocrite, sans doute v. 1290.

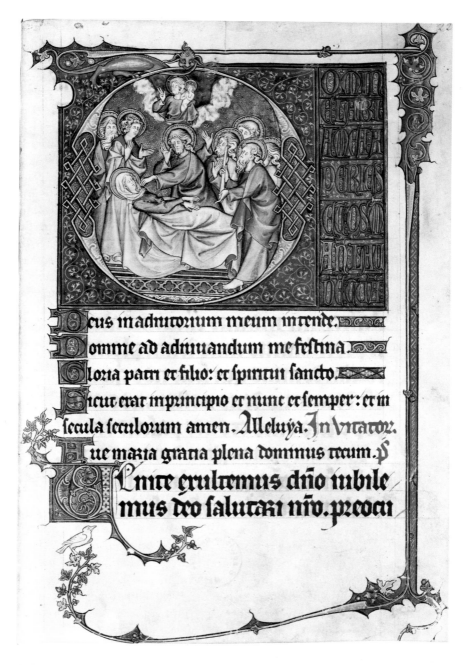

97 Livre d'heures de l'atelier de Maître Honoré. Page de garde des Heures de la Vierge, v. 1290 ?

Il est fort possible que Pucelle ait travaillé sous la houlette
96  d'Honoré car leurs travaux sont à certains égards très similaires. Le
drapé est modelé avec la même douceur et dans les premières
œuvres que l'on peut attribuer à Pucelle, les visages et les mains
sont délicats et pâles. Néanmoins, dans la carrière de Pucelle apparaissent quantité de nouvelles caractéristiques. En un sens il s'agit
de l'embellissement d'un style existant. Par exemple, c'est sans
doute sous son autorité que les drôleries grotesques et autres enjo-
livements marginaux furent acceptés dans les cercles parisiens – en
grande partie grâce aux soins et à l'habileté avec lesquels Pucelle
sut les introduire. Une page du bréviaire de Belleville (Paris, Bib.
Nat. Lat. 10488) révèle une invention décorative fort étendue, qui
inclut des fleurs, des insectes, des oiseaux, des animaux représentés
avec réalisme, ainsi que de petits hommes grotesques, jouant de
divers instruments de musique. Mais l'effet d'ensemble est extrêmement maîtrisé d'autant qu'il se combine avec un cadre géomé-
trique d'une grande finesse. Ce type de décoration est sans conteste
de très haute qualité.

L'influence des idées italiennes devint plus évidente dans l'œuvre
de Pucelle et on a suggéré qu'assez tôt dans sa carrière il s'était bel et
bien rendu en Italie. Des schémas iconographiques italiens sont en
effet sensibles, par exemple dans la scène de la crucifixion du livre
d'heures réalisé entre 1325 et 1328 pour la reine Jeanne d'Évreux
(New York, the Cloisters Museum, f. 68 v). Cette crucifixion se
déroule au milieu d'une foule gesticulante que l'on peu comparer à
la Maesta de Duccio (1308-1311 ; voir p. 194). On notera que la
variété des types de visages et d'expressions de Pucelle est bien plus
considérable que celle d'Honoré et ici encore, il semble bien que ce
soit l'art italien qui ait permis d'accroître ses possibilités expressives.

Quoi qu'il en soit, l'influence italienne la plus évidente se
98, 103  remarque dans l'intérêt que Pucelle commence à porter à l'espace
pictural. C'est peut-être le trait le plus révolutionnaire de son œuvre.
L'exploitation de diverses formes rudimentaires de perspective
constitue un élément complètement nouveau de la peinture italienne
de la fin du XIIIᵉ siècle, et Pucelle incorpora certaines de ces innovations dans ses enluminures de manuscrits. La page illustrée du

bréviaire de Belleville montre David et Saul enfermés dans une sorte de maison de poupée, peinte de manière incohérente mais en trois dimensions. Un détail spécifiquement romain s'y trouve : le plafond à caissons à l'intérieur de l'édifice. Il existe beaucoup d'autres exemples de figures placées dans des décors en trois dimensions.

Les tentatives de Pucelle pour assimiler les éléments de la représentation italienne de l'espace et les utiliser à des fins personnelles ont introduit quelque chose de contradictoire dans la peinture de manuscrit, dont on pourrait dire qu'elle ne s'est jamais remise. Est-ce que le décorateur essayait ainsi d'ouvrir dans la page une petite « fenêtre sur le monde » à travers laquelle le lecteur pouvait apercevoir une vignette en trois dimensions ? Ou bien embellissait-il un texte en deux dimensions avec un motif en deux dimensions ? Au fil du siècle cette contradiction se fit plus évidente. Une autre innovation de Pucelle mérite d'être signalée car elle fut largement reprise au cours du demi-siècle suivant : l'utilisation de la grisaille – un gris monochrome parfois très légèrement teinté. Les Heures de Jeanne d'Évreux, dont nous avons parlé plus haut, ont toutes une décoration en grisaille. Une fois encore, c'est une idée italienne qui semble avoir été transposée, puisque Giotto, par exemple, avait décoré en grisaille une partie de la chapelle de l'Arena de Padoue (1310). Mais les dissemblances sont si criantes qu'elles rendent le lien avec l'Italie fort problèmatique. L'influence de l'Italie devint à partir de cette date un souci constant de l'historien de l'art et il est tout à fait regrettable que l'on ne sache presque rien de la peinture parisienne à grande échelle de cette époque. A la fin du mécénat romain, lorsque la papauté quitta Rome (1305), trois peintres romains partirent pour la France où ils furent employés à la Cour durant les vingt premières années du siècle. Il ne reste rien de leur travail mais il se peut que l'intérêt que Pucelle portait à l'art italien ait été stimulé par la présence de ces étrangers. Le genre d'innovation qu'il introduisit dans la peinture de manuscrit était déjà apparu en France dans la peinture des panneaux et des fresques.

Revenons au XIII⁰ siècle. L'influence du nouveau style qui s'exprime dans les livres de Louis IX atteignit bientôt l'Angleterre.

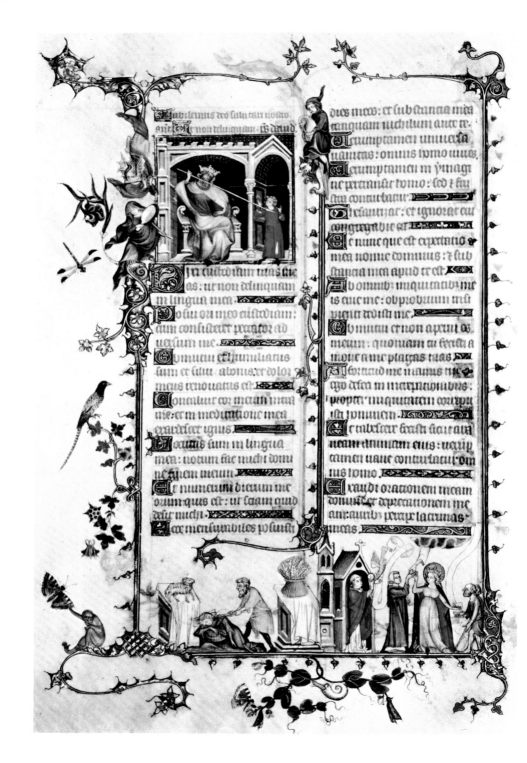

99 La Douce Apocalypse. V. 1270 ?

Henri III, même s'il commanditait une grande quantité de peintures pour ses palais et ses chapelles, n'était pas vraiment bibliophile. Presque toutes les peintures à grande échelle ont disparu et
l'Angleterre ne possède pas, à titre de compensation, d'un ensemble
de manuscrits royaux tel que celui qui existe en France. Pourtant
deux ouvrages ont survécu, qui, même s'ils ne furent pas commandités directement par Henry III, peuvent cependant être inclus dans
cette catégorie. La Douce Apocalypse (Oxford, Bodleian Lib.
Ms Douce 180), réalisée pour le fils d'Henry III, Édouard, avant son
accession au trône en 1272, suit donc probablement les manuscrits
de saint Louis et précède l'œuvre connue de Maître Honoré. Par son 99
style, ce manuscrit paraît se situer quelque part entre les deux. Le
dessin général des figurines est plus proche d'Honoré, ainsi que la
pâleur des visages et la stylisation de la coiffure et des barbes. Le
drapé de grands plis lâches contraste avec la précédente tradition des 95

98 *(A gauche)* Bréviaire de Belleville. Atelier de Jean Pucelle, 1323/1326 ?

100 Abbaye de Westminster, Londres. Détail du retable. Dernier quart du XIII$^e$ siècle ? Ce retable est l'unique témoignage de cette époque en France et en Angleterre, ce qui rend la comparaison encore plus difficile. Il a également la qualité étrange d'un ersatz exécuté avec soin. Dans son état original, il devait avoir l'apparence d'une œuvre somptueuse peinte en doré avec des émaux, des pierres précieuses et des camées à l'antique. Mais le cadre est de bois et les ornements sont tous des contrefaçons de plusieurs sortes. Cependant ils sont de grande qualité, et celle de la peinture est exceptionnelle.

plis en tubes et en boucles. Mais il manque le doux modelé de la lumière, caractéristique d'Honoré. Le deuxième livre est un psautier conçu pour le fils d'Édouard, Alfonso. Celui-ci mourut en 1284 et quelques-unes des décorations de son psautier (Londres, B. Lib. Add. 24686) sont plus tardives. Mais les parties du manuscrit qui appartiennent à une époque meilleure et plus ancienne (av. 1284) témoignent encore de la forte influence française. Des comparaisons peuvent être faites entre le style de Maître Honoré et la martyrologie de Saint-Germain et il semble que le modelé méticuleux des ateliers parisiens soit déjà visible ici. Les interactions exactes de tous ces styles restent obscures, mais les deux manuscrits montrent qu'en matière de goût, la cour de Londres suivait de près la cour de Paris. On trouve des exemples monumentaux de ce style de cour dans l'abbaye de Westminster. Les deux fresques du transept sud, une autre fresque de la chapelle de Sainte-Foi et un retable peint sur panneaux proviennent d'un style comparable à celui de la Douce Apocalypse. Les fresques, bien qu'elles paraissent de qualité légèrement inférieure au retable, ont tout de même de l'intérêt puisque rien ne survécut à cette échelle avec une même qualité. Elles constituent la preuve que le style des manuscrits pouvait être transféré à une œuvre de dimension beaucoup plus grande. Mais le retable est de loin l'objet le plus extraordinaire. On n'a jamais vraiment bien compris comment une abbaye aussi riche que Westminster a pu avoir commandité quelque chose de si bon et pourtant de si factice. Quant à la date, elle n'a pas pu être établie. Les figures debout sont très allongées, avec des visages aux traits minuscules, et le drapé a désormais une tenue et un modelé familiers. Le style appartient sans doute au dernier quart du XIIIᵉ siècle et on peut noter ici que le principal peintre du roi, Walter de Durham, sans doute intimement lié au développement de ce style en Angleterre, fut actif pendant toute cette période et ne mourut qu'en 1308.

Il n'est pas difficile de suivre l'évolution de ce style jusqu'au XIVᵉ siècle. Ce faisant, on s'éloigne de Londres pour rejoindre un groupe de manuscrits dont beaucoup sont associés par leur contenu à l'East Anglia. Ce décentrage géographique est une énigme et n'est pas rendu plus facile d'accès par la nature hétérogène du groupe. Il y a, de fait, un livre qui ne comporte aucune indication sur sa provenance et qui, d'après sa constante qualité et ses illustrations abondantes mais sobres, doit sûrement être un livre royal. C'est le psautier de la reine Marie (Londres, B. Lib. Ms Royal 2 B VII), qui

101

100

102

135

contient un grand nombre d'images d'introduction, d'images mêlées au texte et de petits dessins en bas de page. Les illustrations sont exécutées selon une technique de dessin. Les scènes de bas de page sont légèrement teintées ; les images principales sont plus colorées mais viennent plus du trait que du modelé. Ce type de peinture est proche du style d'un psautier (Cambridge, Corpus Christi College Ms 53) qui avait dû être utilisé soit à Peterborough soit à Norwich et avait été écrit vers 1310. Les deux manuscrits avaient d'ailleurs

101 Psautier d'Alfonso. Quatre Saintes. Peu avant 1284 ?

dû être réalisés à cette époque. Le psautier de la reine Marie possède néanmoins des caractéristiques intéressantes. La présentation de la plupart des enluminures est uniforme puisque les scènes se jouent à l'intérieur d'un modeste cadre architectural. En outre, elles sont incluses dans le texte du psautier comme illustrations indépendantes de la décoration initiale. Il y a là une rupture avec la tradition puisque dans les psautiers anglais les images les plus grandes se trouvaient au début du livre et se limitaient, pour la décoration du texte, à de petites scènes encadrées dans les initiales. Pourtant, si l'on regarde de l'autre côté de la Manche et que l'on compare le psautier de la reine Marie aux Heures de Jeanne d'Évreux réalisés par Pucelle, on s'aperçoit qu'il reprend certains traits du style décoratif parisien. L'image principale d'un décor architectural occupe un grand espace en haut de la page ; l'initiale et le texte viennent après et sont suivis par une décoration de bas de page. On pourrait même voir dans la résurgence du dessin délicatement teinté un équivalent anglais de la grisaille française. Un des ingrédients utilisés de façon très parcimonieuse dans le psautier de la reine Marie est la décoration de lierre à feuilles pointues.

103

103 L'Annonciation. Première page des Heures de la Vierge de Jeanne d'Évreux. Atelier de Jean Pucelle. 1325/1328.

104 Psautier de Peterbo-
rough. Ouverture du
psaume I. Début XIVe
siècle.

La profusion des illustrations de bas de page dans le psautier de la
reine Marie rappelle un trait commun à toutes les productions de
l'école de l'East Anglia : un goût prononcé pour la décoration extra-
vagante des marges. En particulier l'initiale du psaume I, B (eatus
Vir) servit de prétexte à un déploiement exubérant de feuillage et
d'autres décorations incorporant des scènes bibliques et des grotesques. On en trouve un exemple très maîtrisé dans un autre psautier de Peterborough exécuté avant 1321 (Bruxelles, Bib. Royale Ms 104
9961-2). Une des pages les plus ouvragées est celle du psautier de

105 Psautier de Saint-Omer. Ouverture du psaume I. V. 1330 ? Les grotesques, les animaux et le feuillage sont répartis dans une marge rectangulaire normale. La richesse de l'invention est remarquable et le cadre donne au contenu l'apparence de la perfection.

105   Saint-Omer (Londres B. Lib. Ms Add. 39810), qui possède de nombreux médaillons contenant des visages et des scènes de l'Ancien Testament et réunit un fantastique entrelacs en forme de spaghettis.

L'origine de cette passion pour les marginalia complexes remonte au XIIIe siècle. Dès le milieu du siècle, les enlumineurs dessinaient des initiales dont les extrémités s'étendaient fort loin dans la marge du livre. Des hommes et des grotesques envahissaient aussi le bas des pages. L'exemple le plus connu est celui du psautier de Rutland (Belvoir Castle), exécuté probablement avant 1258, dans lequel presque toutes les pages sont ornées d'hommes et de bêtes dans la marge inférieure. On trouve aussi ce type de décoration dans l'œuvre de William de Brailes. L'artiste du psautier d'Alfonso, tout en imitant le feuillage parisien, inclut plus de détails appartenant à la peinture de genre que ce qui aurait pu être accepté à Paris. Mais si cette sorte d'extravagance était peu goûtée à Paris, elle eut cependant un grand succès dans le Nord de la France et dans les Flandres

durant la seconde moitié du XIII<sup>e</sup> siècle. On avait déjà remarqué que
les drôleries ne furent que progressivement tolérées dans les manuscrits parisiens et soumises à un contrôle très strict. La comparaison
de la page du Beatus du psautier de Saint-Omer avec une page du
bréviaire de Belleville donne une idée sur les différences des deux 98
conceptions esthétiques. En dépit des énormes dissemblances entre
les types d'illustrations anglaises et parisiennes, des traits italiani-
sants apparurent dans les enluminures anglaises à peu près au même
moment que dans les parisiennes. Les psautiers d'Ormesby et de
Saint-Omer contiennent des exemples de figures nues d'inspiration
italienne et des rudiments de construction spatiale. La feuille de la
Crucifixion ajoutée au psautier de Gorleston (Londres, B. Lib. Ms. 106
Add.) va plus loin encore. D'un point de vue iconographique, on
peut trouver des ressemblances étroites dans la peinture italienne et

106 Psautier de Gorleston. La
Crucifixion, page additionnelle.
V. 1330 ?

la scène se déroule dans un décor de pierres comparable à la convention utilisée à la fois par Duccio et Simone Martini.

Dès 1300, la cour de Paris influença la peinture allemande et plus particulièrement celle de Cologne : abandon du style zigzag, similitude avec l'atelier de Jean Pucelle dans certains manuscrits, influence immédiate du cercle de Maître Honoré dans la peinture de panneaux. On tenta d'imiter la rondeur et le modelé du style du cercle de Maître Honoré. Les peintres furent énormément influencés par le raffinement parisien mais il existe cependant des rapports évidents avec l'Italie. La Vierge du diptyque de l'église Saint-Georges, à Cologne, est dessinée selon un type de perspective utilisé en Italie ; elle est assise sur un trône décoré avec des mosaïques de marbre

107 *Noli me tangere*. Détail de la peinture ajoutée en 1324-1329 aux émaux de Nicolas de Verdun pour l'actuel retable de Klosterneuberg.

108 Cologne. Vierge à l'enfant et Crucifixion. Diptyque. V. 1325-1350 ?

peint. On ne sait pourtant pas vraiment dans quelle mesure les artistes allemands avaient accès aux originaux italiens. L'influence italienne apparaît avec une netteté particulière dans un groupe de peintures autrichiennes ajoutées aux émaux de Nicolas de Verdun entre 1324 et 1329, pour former l'ensemble du retable de Kloster- 107 neuburg. Elles traduisent à l'évidence une connaissance de l'iconographie utilisée par Giotto, iconographie sans aucun doute transmise par des livres de motifs car l'effet obtenu reste très loin de Giotto. L'importance croissante de la peinture italienne pour l'art espagnol devient flagrante à la fin de cette époque. Entre 1320 et 1350, on trouve divers documents sur les activités d'un peintre de Barcelone du nom de Ferrer Bassa. En 1343, on lui demanda d'exécuter une série de fresques dans une chapelle près de Barcelone, San

143

109 Miguel de Pedralbes. Toute l'œuvre avérée de Ferrer Bassa a été pro-
duite en Espagne et nous ne savons que peu de choses sur ses
voyages. Mais il a dû étudier les principaux chefs-d'œuvres italiens
auxquels on pouvait avoir accès à l'époque, car les types utilisés, les
détails de décoration et la manière dont les scènes sont agencées sur
les murs, suggèrent une connaissance bien plus exhaustive de l'art
italien que ce que l'on trouve à cette date dans le reste de l'Europe.
Cette orientation italienne perdura dans la peinture espagnole tout
au long du XIV$^e$ siècle.

## CHAPITRE TROIS

## L'art italien du milieu du XIII<sup>e</sup> au milieu du XIV<sup>e</sup> siècle

Il est parfaitement possible de considérer l'art gothique comme une création française avant d'en étudier l'impact sur les pays environnants. C'est ce que nous avons tenté de faire dans les deux premiers chapitres. Mais cette approche, valable pour l'Empire, l'Angleterre et l'Espagne, ne se justifie pas dans le cas de l'Italie où la résistance aux idées françaises en général et aux vues parisiennes en particulier semble avoir été d'une violence exceptionnelle. Les traditions locales y étaient si vivaces que, même lorsque les artistes italiens allaient puiser le détail de leur inspiration de l'autre côté des Alpes, leurs œuvres risquaient rarement de se confondre avec celles de l'Europe septentrionale. Dans presque tous les cas, des différences fondamentales rendent la distinction relativement simple.

Rien n'illustre mieux ce fait que l'histoire de l'architecture gothique en Italie. Tous les pays étudiés jusqu'ici s'étaient adaptés au style rayonnant dès avant le milieu du XIII<sup>e</sup> siècle. Les sources plus ou moins lointaines de l'abbaye de Westminster ou des cathédrales de Cologne ou de León sont aisément repérables. Partout mécènes et maîtres-maçons, impressionnés par les réalisations des architectes français du Nord de la France, y avaient certes introduit de judicieuses transformations afin de ne pas heurter les préjugés locaux. Pour l'essentiel, leurs églises se rattachent tout de même au style rayonnant. Partout, on a la preuve qu'à une étape ou à une autre, les bâtisseurs s'efforcèrent de saisir l'esprit de la nouvelle architecture française. Sauf en Italie. La résistance aux idées venues du Nord s'appuya sans doute sur la réputation des maçons italiens, dont la compétence traditionnelle était illustrée par de nombreux

édifices romans des xie et xiie siècles. Aucun des maçons du Nord n'aurait été capable, à l'époque du début des travaux, de doter une église comme la cathédrale de Pise (fondée en 1063) d'une façade de marbre aussi finement travaillée. Mais la technique n'est pas tout. Au nord des Apennins avait surgi toute une série de bâtiments gigantesques (comme les cathédrales de San Abbondio, de Côme ou de Piacenza) où la brique était utilisée avec une habileté consommée. La voûte à nervures y apparut peu après sa naissance en Europe septentrionale. Le Sud de l'Italie, plus ouvert aux influences extérieures, avait d'ailleurs largement adopté la grande église romane. Les différences régionales qui freinèrent l'imitation par les Italiens des édifices français sont de plusieurs ordres. Les maçons de Toscane disposaient de vastes quantités de marbre. Ceux de Lombardie, où la pierre était rare, se tournèrent vers la brique. Cependant, les églises de la côte balte prouvent qu'il était parfaitement possible de construire en briques des églises gothiques dignes de celles du Nord. Ni les maçons italiens ni leurs commanditaires n'avaient succombé au charme des édifices parisiens qu'ils avaient vus ou dont ils avaient entendu parler. Lorsque, bien plus tard, vers 1390-1400, on consulta des experts du Nord sur la viabilité de la future cathédrale de Milan, les maçons du cru manifestèrent sans ambage leur conviction : ils n'avaient pas attendu les gens de Cologne ou de Paris pour apprendre à bâtir des églises !

Au nord des Alpes, les cisterciens avaient pris une part intéressante mais, somme toute, mineure dans la diffusion des idées architecturales françaises. Pour faire pièce à cette « invasion », l'Italie, au contraire, accorda ses faveurs aux cisterciens.

La communauté cistercienne favorisa l'édification en Italie du Centre et du Sud de nombreuses abbayes conçues sur le modèle de Fontenay. L'élévation de la nef, la façade orientale et les travées rectangulaires de l'église de Fossanova semblent directement calquées sur le plan de l'abbatiale de Cîteaux. Encore Fossanova est-elle coiffée d'une voûte d'arêtes alors que l'église, un peu plus tardive, de Casamari (commencée en 1203, consacrée en 1217) s'orne d'une voûte à nervures. Les deux ont des chapiteaux à crochets. Une autre abbaye cistercienne de Toscane, celle de Monte San Galgano

110 Abbaye de Fossanova. Nef vue de la croisée. Église consacrée en 1208.

(commencée en 1224), mérite d'être signalée parce qu'elle imite de très près le style des deux églises ci-dessus. En Italie méridionale, le type de gothique représenté par ces édifices aboutit à la production d'un flot régulier d'églises dont le plan-masse variait considérablement mais qui tendaient à se définir comme de modestes constructions ogivales à deux étages, ornées de chapiteaux à crochets et de voûtes à nervures. Telles sont, par exemple, l'église San Giovanni à Matera (v. 1230) ou l'abside de la cathédrale de Cosenza (apr. 1230).

Une église comme celle de Fossanova se flattait d'incarner, modestement mais authentiquement, le gothique à la française. Mais en Italie, ce style eut une influence d'autant plus restreinte qu'en Lombardie les maçons passaient les plans des architectes cisterciens au crible de leurs pratiques traditionnelles. Dans l'église en briques de Morimondo (v. 1190), l'arcature repose sur de larges piles cylindriques, les moulures horizontales sont discontinues et les supports verticaux de la voûte (sauf pour l'une des baies) s'arrêtent au niveau des chapiteaux au lieu de descendre jusqu'au sol.

Tout au long du XIII$^e$ siècle, l'architecture italienne préféra se raccrocher aux formes romanes. Aucun des grands projets nouveaux ne se proposa d'imiter autrement que sur des points de détail la structure des édifices français contemporains. C'est ainsi que, pour des raisons qui nous échappent, la cathédrale de Sienne (commencée avant 1260) fut conçue en halle. Le chœur, au plan incertain, s'y organise non pas autour d'un carré ou d'un octogone mais autour d'un hexagone, ce qui bannissait d'office la possibilité de transepts traditionnels. L'arcade de la nef d'origine a survécu. Elle est dotée de hautes arches en berceau et de lourds chapiteaux corinthiens. De même, si surprenant que cela puisse paraître, la nef de la cathédrale d'Orvieto est, elle aussi, dotée de voûtes en plein cintre. La taille de ces arcades allait devenir un des traits essentiels du gothique italien. Bien entendu, les grandes églises italiennes ne sont pas toutes bâties sur le même plan. San Francesco de Bologne (commencée en 1216) fait partie du minuscule essaim d'églises dont le chœur est entouré d'un déambulatoire. A Florence, au contraire, Santa Maria Novella (commencée avant 1246) et Santa Croce (commencée en 1294)

111

111 Cathédrale d'Orvieto. Nef, vue vers l'est. Commencée en 1290.

112 *(A gauche)* Vercelli, Sant' Andrea. Intérieur de la nef, vu vers l'est. Fondée en 1219.
113 *(A droite)* Naples, Santa Maria Donnaregina. Intérieur, vue sur l'abside. Fondée en 1307.

reprennent le chœur rectangulaire cher aux cisterciens. San Andrea de Vercelli (fondée en 1219, consacrée en 1224) dispose de chapelles de transepts dont les extrémités polygonales se répartissent autour d'une chapelle centrale rectangulaire. Quant à la cathédrale de Florence (commencée en 1294), ses trois bras devaient initialement être dotés d'extrémités polygonales, à l'image peut-être des absides projetées pour la future cathédrale de Pise. Reste que toutes ces églises, qui ne comportent que deux niveaux, ont de grandes arcades et un clair-étage de faibles dimensions. Ces traits résument l'idéal du gothique italien. San Petronio de Bologne (commencée en 1388) visait substantiellement au même effet : tel est le type italien par

112

opposition au style rayonnant de Saint-Denis. Comparé aux normes françaises, le détail de ces édifices frappe par son austérité : on n'y trouve ni panneaux ni doublures en réseaux, ni moulures raffinées et les piles y sont d'une étonnante simplicité. De-ci de-là, on se heurte à des aberrations caractéristiques, comme cette profusion de colonnes isolées et de chapiteaux à crochets qui séduisit l'architecte de Sant' Andrea à Vercelli (112). Les baies en forme de rose n'étaient pas rares. L'un des projets de façade de la cathédrale d'Orvieto (début du XIVᵉ siècle) fait vivement songer au gothique rayonnant à la française. Faut-il préciser qu'il fut rejeté (129) ? Il semble qu'on ait même envisagé un moment (v. 1335-1340) de doter la cathédrale de Florence d'un campanile ajouré en forme de tour polygonale dont la flèche aurait ressemblé à celle de Cologne ou à celle qui aurait dû coiffer la cathédrale de Fribourg (114, cf. 71). L'avortement de ces projets mit un terme aux progrès de l'influence septentrionale. Le refus de la complexité gothique était compensé par une certaine démesure. Les maçons italiens évitèrent systématiquement les arcs-boutants qui avaient fait la gloire de leurs orgueilleux collègues de France. Mais cela ne les empêcha pas de viser très haut. La voûte de la nef de San Petronio, à Bologne, est plus élevée que celle de Bourges : les Italiens tenaient à prouver que les Français n'avaient pas grand-chose à leur apprendre, ni sur le plan technique ni sur le plan esthétique. La seule région où l'influence française revêtit momentanément quelque ampleur est le Sud de l'Italie où l'architecture à la française se maintint jusqu'au XIVᵉ siècle sous l'égide de la maison royale d'Anjou. Signalons notamment l'abside de Santa Maria Donnaregina à Naples (commencée en 1307, 113) pour laquelle la reine Marie de Hongrie, qui l'utilisa comme chapelle personnelle et souhaitait y être enterrée, s'inspira directement de la Sainte-Chapelle.

114 Cathédrale de Florence. Projet de campanile. 1334-1337 ?

La même résistance aux idées du Nord marque l'évolution de la sculpture italienne. Une bonne part de la sculpture des années 1140-1250 semble ignorer l'existence des premières œuvres gothiques d'Ile-de-France, dont l'influence se faisait pourtant sentir sur la côte sud et en Provence. Malgré la diversité des preuves, il est clair qu'une bonne partie des sculptures importantes de l'Italie du Nord et de la Toscane au XII$^e$ siècle fut liée d'une manière ou d'une autre avec cette région. Cela vaut particulièrement pour l'œuvre du maître-maçon Benedetto Antelami.

La première de ses œuvres connues est un bas-relief situé dans la cathédrale de Parme (1178). Sa dernière œuvre datée est de 1196, mais il resta sans doute en activité jusque vers 1220. Parmi ses 115 œuvres majeures, la seule à nous être parvenue est le baptistère de Parme. Il s'agit d'un lourd édifice octogonal dont l'allure générale n'a rien de gothique, bien qu'il soit coiffé d'une voûte à nervures. Si le doute persiste sur sa participation à l'ensemble du projet, du moins sa signature figure-t-elle sur les portails. Or, ces portails constituaient une véritable innovation en Italie, dans la mesure où ils se fixaient un programme iconographique aussi cohérent qu'ambitieux. Ce seul trait suffirait à suggérer la comparaison avec la France : seuls les Français avaient jusqu'alors consacré autant d'attention à la thématique du portail.

Deux des trois portails en question sont consacrés à des sujets rendus 115 familiers par la France : la Vierge et le Jugement Dernier. Mais les œuvres qu'Antelami avait sans doute vues de l'autre côté des Alpes n'avaient guère modifié sa conception du portail. L'essentiel de son dispositif s'inscrit dans la tradition du Nord de l'Italie. La sculpture d'Antelami reprend d'ailleurs le style de la région, caractérisé par la solidité des personnages, souvent trapus et dotés de grosses têtes rondes. Pas de statue-colonne, des colonnes lisses, des voussoirs sans personnages. Seules certaines sculptures subsidiaires, tant à l'intérieur qu'à l'extérieur, laissent affleurer un style plus gracieux, de tonalité plus ou moins septentrionale.

Il fallut attendre près d'un demi-siècle pour voir naître en Toscane une sculpture gothique digne de ce nom, sous la signature de

115 Benedetto Antelami, Vierge à l'enfant, portail du baptistère de Parme. Commencé en 1196.

116 Nicola Pisano, chaire du baptistère de Pise, 1259-1260.

117 Nicola Pisano, Adoration des mages, relief de la chaire du baptistère de Pise, 1259-1260.

Nicola Pisano dont la carrière est bien connue de 1259 à 1278. Contrairement à Antelami, il ne se contenta pas d'emboîter le pas à ses prédécesseurs. Le contraste est même frappant avec l'œuvre d'un autre maçon de la région, Guido da Como, auteur en 1250 de la chaire de Pistoia. Guido n'avait rien d'un génie mais son œuvre fait honneur à la sculpture toscane des années 1240-1260. Il s'agit de reliefs assez étroits où les personnages aux allures de poupées et aux gestes compassés semblent à peine se détacher du fond plat sur lequel ils défilent, tous sur le même plan. Nicola Pisano allait prendre sur presque tous les points le contre-pied de ce style au profit d'un art infiniment plus distingué.

D'abord, les drapés de ses personnages sont de toute évidence gothiques. Les plis qui retombent en V rappellent inévitablement le 117

155

Maître de Joseph à Reims. De plus, Nicola prit en compte les progrès considérables que le XIII$^e$ siècle avait réalisés dans le traitement du relief, notamment pour les jubés, dont la plupart ont hélas été détruits. Les reliefs du jubé de Naumbourg sont d'une adresse considérable dans le traitement des groupes et l'art de suggérer la profondeur et l'espace. On en dirait autant de *La Découverte de la vraie croix* sur la façade ouest de Reims : les maçons, confrontés aux problèmes de la sculpture en relief, venaient en effet de découvrir une technique qui laissait loin derrière les successions de personnages alignés sur un même plan chères à la France du XII$^e$ siècle. On peut donc avancer sans risque que Nicola, qui avait sans doute emprunté aux Français l'art du drapé, apprit des maçons du Nord les possibilités du relief. Peut-être est-ce d'ailleurs la révélation du réalisme septentrional qui l'incita à se tourner vers la sculpture antique. Chez lui, le modelé des têtes et la coupe des chevelures s'inspirent indubitablement de l'antique. On retrouve la même influence de l'art des Anciens dans sa façon de doter ses faibles reliefs d'une sorte de profondeur artificielle, suivant une technique assez proche de la peinture et de l'art illusionnistes.

117    Les seuls documents contemporains qui jettent une lumière sur sa formation sont deux références où il est désigné sous le nom de Nicolas d'Apulie. Cette désignation a engendré une foule de spéculations sur les contacts qu'il aurait entretenus avec les maçons de l'empereur Frédéric II de Sicile (1220-1250) qui procédèrent à la renaissance délibérée des motifs de l'Antiquité. Le mystère, néanmoins, reste entier.

   On notera que la chaire proprement dite et son iconographie complexe furent élaborées par Nicola et son fils Giovanni sur un mode proche des récents développements de l'art du portail en

118    France. La plus imposante des chaires signées de Giovanni (entre 1302 et 1310, donc bien après la mort de Nicola), frôle la surcharge mégalomaniaque. A côté des scènes de la vie de saint Jean-Baptiste et du Christ, on distingue dans cette anthologie des thèmes de portail un Jugement Dernier, des Evangélistes, plusieurs Vertus, les Arts Libéraux, les Sybilles et l'Eglise, entre autres. L'extraordinaire solidité des personnages de Nicola semble céder dans ses dernières

156

118 Giovanni Pisano, chaire de la cathédrale de Pise, 1302-1310.

119 œuvres à une esthétique plus proche de celle du Nord de l'Europe : son souci d'accumulation iconographique, soulignant le caractère pictural de ses scènes, le contraignit à réduire la taille de ses personnages. Lesquels acquirent du même coup une grâce nouvelle par rapport à ses premières chaires et lui permirent de mettre en valeur les vertus décoratives de la prolifération des motifs des bords de draperie. Son évolution a de quoi intriguer. Si la chaire du baptistère de Pise avait disparu, on pourrait dire qu'il se laissa peu à peu imprégner par l'influence du gothique français, dont bien des éléments se retrouvent dans la chaire de Sienne. Mais où situer dans cette évolution le puissant classicisme de la chaire du baptistère de Pise ? La seule explication qu'on puisse donner de cet épisode est d'ordre esthétique : Nicola semble avoir estimé que seul l'art classique avait résolu de manière satisfaisante certains problèmes artistiques. Si bien que son glissement vers le réalisme passait par le recours à l'outil inappréciable que constituait à ses yeux l'art classique. Mais l'art classique n'avait-il pas déjà joué un rôle de transition décisif dans la sculpture du Nord des années 1200-1220 ?

Le second problème concerne la carrière de son fils Giovanni, qui était loin de partager son amour de la grâce décorative, comme en témoigne la chaire de Sienne. La réticence de Giovanni semble avoir été si vive qu'avec lui la sculpture toscane entre dans une phase résolument hostile à l'élégance, au fini, à la délicatesse. Sa première
120 grande œuvre autonome fut la façade de la cathédrale de Sienne qui date, pour l'essentiel, de 1285-1295. Il ne dépassa pas le niveau des gâbles des portails (la partie supérieure, dotée d'une rose, est un ajout de la première partie du XIVe siècle). Peut-être avait-il prévu, dans le droit fil de la tradition pisane illustrée par la cathédrale de Pise, de coiffer le haut de sa façade d'un écran d'arcades. Mais, heureusement, la décoration originale de la partie inférieure resta telle quelle : on y voit, pour la première fois, un maçon italien incorporer à un projet de façade de nombreuses statues de plain-pied. L'idée n'en pouvait venir que de France. Toujours est-il qu'au lieu de nicher ses personnages dans les embrasures, il les a perchés très haut entre les pignons. On voit mal les raisons de cette décision déconcertante. D'autant que si l'on cherche ce qui, au nord des Alpes,

119 Nicola Pisano, Christ de l'Apocalypse, chaire de la cathédrale de Sienne, 1265-1268.

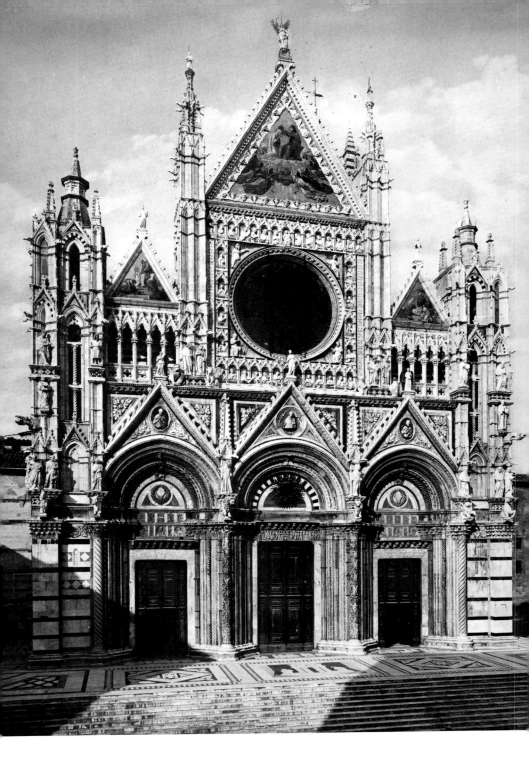

120 *(Ci-contre)* Cathédrale de Sienne, façade ouest. Moitié inférieure jusqu'à la galerie probablement dessinée par Giovanni Pisano, 1284-1285. Façade achevée après 1376.

121 Giovanni Pisano, Platon. Cathédrale de Sienne, façade ouest, v. 1290.

pouvait correspondre au style de ses personnages, il faut se tourner 121 non pas vers la France mais vers le pathétique impérial : la comparaison s'impose avec les Prophètes de la cathédrale de Strasbourg qui 92 sont presque contemporains.

Mais le pathos envahissant de Giovanni déborde largement celui du Nord. Les statues monumentales de la façade de la cathédrale de Sienne semblent communiquer entre elles et avec le spectateur dans un esprit de sérieux et d'intensité où l'angoisse et l'emphase le disputent à la terreur. Cette dramatisation est encore plus frappante dans la minuscule chaire de Santa Andrea Pistoia (achevée en 1301) qui en constitue le prolongement. L'agitation des personnages est ici soulignée par la hardiesse de la draperie dont les plis tourmentés approfondissent visiblement le style de la façade de Sienne. Mais on

122 Pietro Oderisi, tombeau du pape Clément IV († 1268). Église San Francesco, Viterbe, v. 1271.

est loin de l'admirable fini de l'œuvre de Nicola. La surface est traitée de façon sommaire et les détails sont si peu raffinés que les ourlets, les chevelures et les barbes en paraissent négligés. Visiblement, le fils ne s'intéressait pas aux mêmes choses que son père, sans qu'on puisse reconstituer les circonstances de ce déplacement d'intérêt.

L'histoire médiévale est si avare de documents qu'en comparaison nos connaissances sur la sculpture toscane du XIII$^e$ siècle semblent considérables. Les lacunes de notre savoir nous incitent, pour les lieux et les périodes sur lesquels l'information manque, à une prudence peut-être excessive. C'est ainsi qu'on hésite à invoquer une hypothétique tradition d'atelier. En l'occurrence, on sait que l'atelier de Nicola abritait deux sculpteurs aux styles parfaitement contrastés : à côté de Giovanni travaillait un maçon florentin, Arnolfo di Cambio qui, son apprentissage terminé, gagna, vers 1270-1275, la cour des Papes, à Rome, où il devait pratiquement passer le reste de sa vie. La Rome du XIII^e siècle était un centre artistique florissant. On s'y était fait une spécialité des décorations en mosaïque à base de copeaux de marbre et de pierres récupérés dans les vestiges de la vieille cité. Il s'agissait de motifs abstraits qu'on réservait presque exclusivement à la décoration et au dallage des églises. Ainsi naquit la corporation des *cosmati* qui empruntait son nom à un marbrier du début du XIII^e siècle (Cosmas) et qui s'illustra surtout au XIII^e siècle. On a le sentiment qu'à cette époque, une église de Rome ou des environs qui ne se serait pas dotée d'une ou plusieurs de ces incrustations de mosaïques – dont la basilique romaine de Saint-Laurent Hors les Murs constitue le plus impressionnant exemple – aurait péché par modestie. Les cloîtres des deux églises de Saint-Paul Hors les Murs et Saint-Jean de Latran (début du XIII^e siècle) sont d'une exceptionnelle magnificence. La luminosité et l'opulence de ces mosaïques firent sensation. Au point que l'abbé de Westminster ramena dans son pays une équipe de *cosmati* à qui il confia la décoration de sa nouvelle église (voir p. 11). Hélas, les *cosmati* étaient de médiocres sculpteurs. Leur art est essentiellement non figuratif et, à part un lion de temps à autre, on ne voit pas qu'ils aient jamais réussi une sculpture d'homme ou de bête.

Peut-être la médiocrité de cette tradition sculpturale explique-t-elle la lenteur de la pénétration de la sculpture gothique française en Italie. La seconde moitié du siècle en accéléra pourtant la diffusion, en raison de l'influence croissante des Français à la Curie. Un des premiers exemples en est la tombe du pape français Clément IV († 1268). La décoration du monument érigé en son honneur à Saint-François de Viterbe aux environs de 1271 est typiquement romaine 122 à bien des égards, ne serait-ce que par les motifs de mosaïque en marbre. Romaines en sont aussi les grandes lignes architecturales, mais l'ensemble est pour ainsi dire gothicisé. Le dais s'orne de crochets et de trèfles gothiques. Toutes les faces exposées du podium sur lequel repose le cénotaphe comportent des arches gothiques. Mais le trait le plus insolite de cette tombe est son effigie qui est, à notre connaissance – mais tant de choses disparaissent –, la première de son genre en Italie. L'influence française est ici incontestable. Sans qu'on puisse parler de portrait, le visage est nettement individualisé, suivant les canons de la mode parisienne.

Les *cosmati* étaient si mauvais dans ce domaine qu'il y avait place pour un véritable sculpteur formé dans un grand atelier spécialisé. Ce fut Arnolfo di Cambio, qui se laissa, en un sens, contaminer par le milieu romain : il employait des *cosmati* et travaillait sur des commandes traditionnellement confiées à ces artisans. Deux délicieux ciboires, datés de 1285 et de 1293, prouvent sa virtuosité. Mais son talent de sculpteur de personnages fut bientôt reconnu et les commandes de tombeaux et de monuments funéraires ne tardèrent pas à affluer. Pour les tombeaux, il se contenta de reprendre la plupart des idées exploitées par la France. Dans ses monuments, la composante dramatique est nettement plus marquée. Celui du cardinal Annibaldi († 1276), par exemple, fait défiler les personnages qui assistèrent au service funèbre du défunt. Le mort lui-même a les yeux clos. Dans ce « portrait », hélas médiocre, le désir de personnalisation est évident. Un autre monument réalisé pour les exécuteurs testamentaires du cardinal de Braye (un Français,

124 Arnolfo di Cambio, Madone. Façade originelle de la cathédrale de Florence, v. 1300.

123 *(Page de gauche)* Arnolfo di Cambio, effigie tombale du cardinal Guillaume de Braye. 1282 ou postérieur.

† 1281), à San Domenico d'Orvieto, accole deux images du défunt destinées à illustrer deux aspects de sa personnalité. Arnolfo di Cambio, tardivement nommé maître d'œuvre de la future cathédrale de Florence (1296), dut se partager entre les deux villes, ce qui l'obligea à bâcler sa dernière œuvre romaine, le monument de Boniface VIII, dont il entendait faire son chef-d'œuvre (1295-1301).

De son travail à la cathédrale de Florence n'ont en fait subsisté que les décorations de marbre des murs des bas-côtés. Les travaux commencèrent à l'ouest et la première mission d'Arnolfo fut d'en

165

concevoir la façade. On ne saura jamais quels furent ses plans : la façade, inachevée, finit par être complètement remplacée par la façade actuelle au XIXe siècle. Des bribes subsistantes de son projet de sculptures on peut déduire qu'il s'agissait d'une façade « gothique », dans la mesure où elle se fixait un programme iconographique cohérent, sur le thème de la glorification de la Vierge. Deux des tympans de pierre sculptée des proches latéraux représentaient la Nativité du Christ et la Mort de la Vierge. Mais il n'y avait ni statues-colonnes ni personnages sur les voussoirs. L'essentiel de la sculpture subsidiaire se trouvait donc sur et entre les gâbles. Le porche central, démuni de tympan, arborait en ses lieu et place une statue sur piédestal de la Madone. A elle seule, la solidité de cette statue prouve à quel point Arnolfo avait tiré la leçon des premières œuvres de Nicola Pisano. Le classicisme du maître y est pourtant atténué et sans doute a-t-il perdu de sa puissance. Mais la raideur impassible des personnages et la rigidité des draperies se situent aux antipodes d'un Giovanni Pisano.

Le départ des papes pour Avignon allait, en un sens, marquer la fin du mécénat artistique romain. Le rôle fut partiellement repris par Naples sous l'égide de Robert le Sage (1309-1343) dont la cour accueillit de nombreux artistes de premier plan. De leur travail n'a pratiquement survécu qu'une foule de tombes royales qui s'inscrivent toutes dans la tradition de l'œuvre romaine d'Arnolfo di Cambio. Le sculpteur le plus influent de Naples fut le Siennois Tino da Camaino. Formé à Pise, il établit sa réputation à Sienne et à Florence avant de s'établir (vers 1323) à la cour des Anjou où il mourut en 1337. L'œuvre de ce décorateur accompli est parfaitement représentative de la version italienne du style européen du XIVe siècle. Ce style est d'une grâce dont l'Italie n'avait guère l'habitude. Les visages pleins, sinon lourds, des femmes sculptées par Camaino trahissent leurs origines et font moins songer à la délicatesse parisienne qu'aux matrones romaines que Nicola Pisano s'était plu à immortaliser sur la chaire du baptistère de Pise.

Sans doute Camaino se serait-il vu confier la réalisation de la tombe du roi Robert († 1343) s'il n'avait été lui-même surpris par la mort. La tâche revint à deux frères florentins, Giovanni et Paccio,

166

125 Tino da Camaino, Madone du monument d'Antonio Orso († 1320-1321). 1321.

qui s'en acquittèrent honorablement mais dont l'œuvre vaut surtout par le contenu qui semble résumer l'essentiel de l'art funéraire du demi-siècle précédent. Comment ne pas admirer le sarcophage où l'on voit le défunt entouré de ses proches (presque tous morts en 1343) ? L'effigie, reléguée dans la chambre close, se détache sur un arrière-plan où se dressent des personnages sculptés qui représentent les Arts Libéraux. La présentation du défunt à la Vierge et la statue du roi en gloire méritent la comparaison avec le chef-d'œuvre d'Arnolfo di Cambio, la tombe du cardinal de Braye. Le toscan expatrié Tino da Camaino assura l'exportation du gothique toscan vers le

126 *(Ci-dessus)* Giovanni et Paccio da Firenze, monument de Robert d'Anjou, roi de Sicile († 1343). 1343-apr. 1345.

127 Giovanni di Balduccio, châsse de saint Pierre martyr, 1335-1339.

128 Pise, Santa Maria della Spina. Agrandie après 1323.

sud. Un autre toscan, Giovanni di Balduccio, véhicula ce style vers le nord, jusqu'à Bologne et Milan. Son chef-d'œuvre milanais, le reliquaire de saint Pierre martyr (1335-1339) à San Eustorgio, rappelle la châsse de saint Dominique réalisée à Bologne par les compagnons de Nicola Pisano vers 1260-1265. Giovanni di Balduccio y apporta de nombreuses améliorations avant de l'installer. Il le surmonta notamment d'un tabernacle gothique. Ce type d'embellissement était de plus en plus populaire. En Toscane, le meilleur exemple en est le portique du Campo Santo de Pise. L'église Santa Maria della Spina de Pise (vers 1330) montre à quel point ce nouveau style contribua à modifier l'arcature pisane traditionnelle. 127

128

Dans cette évolution, se détache la figure d'un maçon, Lorenzo Maitani. D'origine sans doute siennoise, probablement né vers 1275, donc élevé à l'ombre des Pisani père et fils, il donna la mesure

169

de son talent avec la façade de la cathédrale d'Orvieto dont il fut chargé de 1308 jusqu'à sa mort en 1330. Deux croquis sur parchemin nous renseignent sur ses projets. L'un est remarquablement proche du gothique rayonnant à la française. Le second se rapproche de la façade telle qu'elle fut effectivement réalisée. Si le premier est vraiment de Maitani, il faut admettre que ce maître-maçon italien se montra étonnamment ouvert aux idées françaises. On en dirait autant de son style en sculpture. La Vierge à l'enfant dont on lui attribue généralement la paternité prouve qu'il s'était délibérement affranchi de l'héritage des Pisani : par l'équilibre, la grâce, la délicatesse et le raffinement, elle se place sous le signe de l'imitation des Français. Il est d'ailleurs vraisemblable que Maitani avait effectué plusieurs séjours en France, encore qu'on discerne mal quels y furent ses modèles : sa Madone semble moins refléter l'influence des

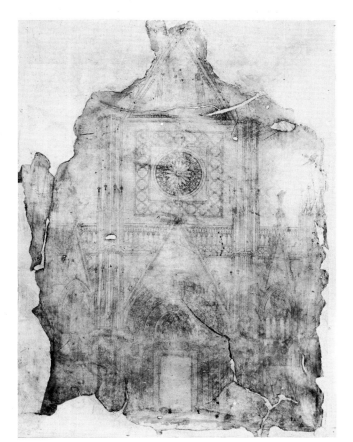

129 Élévation sur parchemin de la façade de la cathédrale d'Orvieto, jamais réalisée. Sans doute peu avant 1310.

130 Lorenzo Maitani, Madone et Anges. Façade ouest de la cathédrale d'Orvieto. 1325-1330 ?

œuvres contemporaines que l'élégance et la pudeur des sculptures de
la période 1230-1240. Quoi qu'il en soit, Maitani finit par doter la
cathédrale d'Orvieto d'une façade résolument italienne. Non seule- 131
ment la verticalité gothique y est sérieusement atténuée, mais
nombre de ses surfaces étaient couvertes de mosaïques calquées sur
celles des grandes basiliques de Rome (la mosaïque actuelle est bien
plus tardive). Comme on pouvait s'y attendre, il n'y a ni statues-
colonnes, ni personnages sur les voussoirs. Les embrasures du porche
sont même dotées d'une série de colonnettes décoratives incrustées
d'étincelantes mosaïques dignes des *cosmati* et les avancées des
contreforts sont couvertes de sculptures en relief. On ne saurait
conclure ce survol des premières phases de la sculpture gothique italienne sans mentionner Andrea Pisano. On ignore tout de sa carrière
jusqu'en 1330. On sait qu'à cette date, on lui avait déjà confié la

réalisation de la première paire de portes de bronze du baptistère de Florence. Ce furent les premières portes de bronze historiées réalisées en Europe à l'époque gothique. Le fait peut surprendre, mais les dernières portes de bronze historiées réalisées avant cette date étaient celles de la cathédrale de Pise (fin XIIᵉ siècle). Au nord des Alpes, il fallait même remonter plus loin, jusqu'à l'abbé Suger qui les avait commandées vers 1140 pour la façade ouest de Saint-Denis. Depuis, les portes s'étaient agrandies et la mode avait changé. Celles de la Sainte-Chapelle étaient en bois et ne portaient que de simples armoiries. Andrea Pisano entreprenait donc de restaurer une forme d'art délaissée depuis près de cent trente ans. Les portes de bronze de la cathédrale de Pise comportent plusieurs panneaux rectangulaires en relief. Pour les mettre au goût du jour, Pisano eut recours à un ancien motif importé de France : le trèfle à quatre feuilles percé aux angles par les pointes d'un carré circonscrit. Les quatre-feuilles de la **132-133** façade ouest de la cathédrale d'Amiens (v. 1220) n'ont pas de carré circonscrit. Le premier trèfle ajouré d'un carré (et peut-être le plus proche de ceux d'Andrea) est celui des boutants du transept sud de Notre-Dame de Paris (v. 1260). L'usage s'en était répandu à Lyon, à Auxerre et à Rouen, avant que le motif ne soit popularisé par les verriers, auxquels les enlumineurs ne tardèrent pas à emboîter le pas. On les retrouve dans le chef-d'œuvre de l'atelier de Jean Pucelle, la bible de Bylling (1327). Pour la première porte de bronze de l'histoire du gothique, Andrea Pisano s'appuyait donc sur un des grands motifs décoratifs de l'art français.

Au contraire, ses personnages sculptés s'inscrivent dans la tradi- **133** tion de l'art pisan du premier quart du siècle revu et corrigé par un passionné de Giotto. La pesanteur, la luminosité et l'habileté dramatique de la plupart de ses statues suffisent à le distinguer du style à la fois plus décontracté et plus décoratif de Tino da Camaino dont les œuvres constituaient sans doute le fin du fin du temps de sa jeunesse. Chaque fois qu'il est nécessaire, Andrea Pisano souligne la continuité dramatique de son récit en répétant tel ou tel motif,

131 Cathédrale d'Orvieto. Façade ouest, commencée en 1310.

comme on venait d'apprendre à le faire dans l'art de la fresque. La présence insistante de l'œuvre de Giotto à l'arrière-plan des sculptures du Pisan nous invite à passer à l'évolution de la peinture italienne pendant l'ère gothique.

132 Andrea Pisano, portes de bronze du baptistère de Florence, 1330-1336.

133 Andrea Pisano, mise au tombeau de saint Jean-Baptiste. Portes de bronze du baptistère de Florence, 1330-1336.

On s'étonnera peut-être de voir traiter l'œuvre de Giotto, dont une tradition immuable fait le fondateur de la Renaissance italienne, dans un livre sur l'art gothique. Mais ce cliché a une vieille histoire : c'était déjà un lieu commun lorsque Ghiberti aborda le sujet au XV$^e$ siècle. L'idée fut ensuite reprise par Vasari. Depuis, rien n'est plus banal que de faire de Giotto le précurseur de Masaccio et l'avant-coureur de la Renaissance. Mais pourquoi refuser de voir en lui un peintre gothique et de l'étudier dans le contexte de son temps ? Nous avons vu que la sculpture et l'architecture italiennes présentaient des singularités significatives par rapport à ce qui se faisait au nord des Alpes et qu'en Italie même s'étaient établies des différences de style considérables. La question est de savoir s'il est légitime d'opérer des distinctions analogues dans le domaine de la peinture. Comment situer Giotto dans le cadre historique que le hasard lui a assigné ?

Sa carrière couvre la période de transition entre les années créatrices de Maître Honoré et celles de Jean Pucelle. Pour incongrue qu'elle soit, cette comparaison présente du moins l'avantage de mettre en valeur un des facteurs déterminants de la distinction entre l'art du Nord et celui du Sud. En Italie, c'est le règne d'une puissante et tenace tradition, celle de la fresque monumentale. L'Italie estimait tout naturel de couvrir ses églises de fresques. Les mécènes les plus munificents remplaçaient même la fresque par la mosaïque. Au contraire, depuis la fin du XII$^e$ siècle, les grandes peintures de ce genre étaient rares dans les cathédrales du Nord : non seulement les architectes ne lui faisaient pas place en dotant leurs édifices de vastes surfaces plates mais le récit religieux s'était niché dans le vitrail. Aussi le peintre mural avait-il dû dans une large mesure céder le pas au verrier. Ce point mérite quelque prudence. Un certain nombre de peintures murales religieuses ont survécu et bien des documents attestent l'existence de peintures murales profanes dans des châteaux et palais. De ces œuvres, presque rien n'a subsisté et les spéculations sur ce qui a été perdu sont vaines. On trouve toutefois des fragments de peintures murales dans des édifices aussi importants que Windsor Castle ou l'abbaye de Westminster. Leur style reflète fidèlement

134 Maître de Saint-François, Institution de la crèche. Église supérieure de Saint-François, Assise, v. 1295.

l'esthétique plus dense des enluminures. Si cette impression générale est juste, on est amené à penser que le fossé entre les deux traditions aurait continué de se creuser si la peinture murale des XIII$^e$ et XIV$^e$ siècles avait survécu au nord des Alpes.

Dire que cette peinture murale calquait l'enluminure de l'époque revient à en dénigrer le caractère décoratif et bi-dimensionnel. Mais cette indifférence à l'égard de l'illusion et de la perspective est peut-être liée à une déficience propre à la tradition de la peinture murale. Les peintres qu'on invitait à travailler à grande échelle ne se souciaient guère d'intégrer leur œuvre à l'ensemble de l'édifice qui allait l'abriter. Il est vrai qu'une bonne partie de la peinture murale du Nord (ce qui en a survécu) est de qualité médiocre (sinon pire) et donne l'impression d'avoir été placée sur le mur au petit bonheur la chance. Les peintres racontaient une histoire, comme dans les bandes dessinées d'aujourd'hui, sur des bandes horizontales dont le nombre dépendait de la longueur du récit, sans interaction organique entre une bande et celle du dessus ou du dessous. Les scènes ne bénéficiant pas d'espaces normalisés, l'ensemble était privé de toute continuité verticale. Qui plus est, personne n'aurait songé à lier l'œuvre à l'ensemble de l'édifice où elle allait s'inscrire. Les rares exceptions étaient le fruit de contacts directs avec l'Italie – comme dans le cas de Ferrer Bassa (voir p. 144). Les artistes italiens concevaient leur travail comme le prolongement de celui du maçon. Cette idée semble n'avoir jamais gagné le Nord de l'Europe. Sans doute explique-t-elle la transformation de l'espace pictural et la montée de la représentation illusionniste caractéristiques de cette époque en Italie.

La persistance de l'influence byzantine fut un facteur important de la différenciation des styles entre le Nord et le Sud. A l'époque où naissait le style Saint-Louis et pendant la période d'activité de Matthew Paris, la peinture avait continué de respecter les conventions de l'art byzantin. On s'étonne de voir renaître, au beau milieu du XIII$^e$ siècle, dans les environs de Rome, le pli mouillé linéaire déjà vieux d'un siècle dans les autres pays d'Europe. Deux monuments de cet art ont survécu. La petite chapelle Saint-Sylvestre, adjointe à 135 l'église romaine des Quattro Coronati (1246), dont la décoration est

135 Église des Quattro Coronati, Rome. Chapelle de Saint-Sylvestre, consacrée en 1246. Scènes du Jugement Dernier et de la vie du saint.

généralement située à cette date, nous offre un Christ en gloire parmi les Douze Apôtres et une frise qui relate l'histoire du saint et de l'empereur Constantin. La qualité décorative de cette peinture fervente et très réussie est particulièrement sensible dans le détail des fleurs et autres plantes épanouies. Mais elle se ressent de la dureté de ses lignes et d'un étrange mépris du naturalisme le plus élémentaire. Des peintures du même style ornent la crypte de la cathédrale d'Anagni (consacrée en 1255). Il n'est pas impossible que l'empire d'Orient ait continué de jouer un rôle décisif dans les premières étapes de l'évolution qui allait suivre. Bien des signes indiquent en effet que, dès le milieu du XIII<sup>e</sup> siècle, les artistes byzantins évoluaient vers un modelé plus affirmé dans les draperies et plus de réalisme dans l'organisation de l'espace environnant. Le seul

136 Église supérieure de Saint-François, Assise. Le sacrifice d'Isaac, années 1280.

monument visible à cet égard est l'église de la Chora, dont les mosaïques datent du début du XIVᵉ siècle. Parmi les monuments antérieurs, signalons, aux marches de l'empire byzantin, les fresques du monastère de Sopocani en Serbie (1263-1265).

Des développements analogues marquent la basilique Saint-François à Assise. Elle comporte deux niveaux. L'église supérieure et l'église inférieure finirent par être toutes deux ornées de peintures murales. Les fresques de l'église supérieure furent achevées les premières. Leur exécution dura des alentours de 1280 jusqu'à 1350.

Globalement, elles illustrent, en microcosme, les métamorphoses de l'art italien pendant cette période de transition décisive. Les premières fresques, celles du chœur et des transepts, s'inscrivent encore dans la tradition du milieu du siècle. L'architecture cloisonnée en est peu convaincante, mais les drapés, plus doux, prennent volontiers la forme de vaguelettes. La conception d'ensemble est grandiose. Les compositions s'équilibrent réciproquement et un réseau de motifs plus ou moins illusionnistes en consacre l'unité. Gagnant vers la nef, les décorateurs accentuèrent l'évolution en ce sens. Les auteurs des épisodes Noé et Abraham adoptèrent le drapé adouci et les rondeurs du « nouveau style » de Constantinople. A cette étape, la transition 136 vers le gothique italien peut encore apparaître comme une manifestation supplémentaire de l'influence byzantine.

Le maître qui peignit les deux scènes consacrées à Isaac et qu'on appelle couramment le Maître d'Isaac fut sans doute le plus grand 137 peintre de l'église supérieure. Son œuvre se distingue par la solidité de la construction, la cohérence des éclairages et la tension dramatique. Les personnages, soigneusement sertis dans leur niche, ont la tête et le corps étonnamment solides. C'est avec le fameux cycle de fresques décrivant la légende de saint François que s'achevèrent les travaux de l'église supérieure. C'était une vaste entreprise à laquelle s'attelèrent au moins trois maîtres, dont les styles, plus ou moins nettement différenciés, tendent vers un réalisme vigoureux dans la 134 représentation du cadre et de l'action. Dès le XIV$^e$ siècle, la rumeur courut que Giotto avait personnellement travaillé à Assise. On lui attribue souvent une bonne partie du cycle de Saint-François, encore que l'unanimité soit loin de se faire sur ce point.

Il est certes tentant d'essayer de mettre en valeur l'originalité de chacun des maîtres d'Assise et de leur attribuer telle ou telle partie de l'œuvre. Le Maître d'Isaac fut sans conteste l'un des plus grands peintres de son temps ; mais aucune autre œuvre ne saurait lui être attribuée, ni à Rome ni ailleurs (à moins qu'il ne fasse qu'un avec Giotto lui-même, comme on a récemment tenté de le démontrer). Parmi ceux qui vinrent de Rome, il faut citer trois noms. Le premier est celui de Cimabue, qui décora sans doute l'arrière-chœur de l'église supérieure. D'origine toscane, on le signale pour la première

fois à Rome en 1272. Mais ses œuvres romaines ont disparu. On lui prête une série de fresques dans l'atrium du vieux Saint-Pierre. La dernière mention de son nom le situe à Pise en 1301. On lui attribue surtout l'imposante Madone en gloire de la Santa Trinita de Florence (Offices), de style distinctement byzantin mais dont les draperies sont du style adouci.

Du second, Jacopo Torriti, on ne connaît que les mosaïques, bien qu'il se soit lui-même désigné comme peintre dans les inscriptions qu'il a laissées. Son œuvre comprend deux importantes mosaïques d'abside dans les églises romaines de Saint-Jean de Latran (1292) et de Sainte-Marie Majeure (1296). Sous la mosaïque principale de 138 cette dernière, une série de scènes illustrant la vie de la Vierge montre une certaine ressemblance entre ses œuvres et les fresques d'Assise consacrées aux mésaventures de Noé et d'Abraham. Il se rattache si visiblement à la même période qu'on a suggéré qu'il travailla effectivement à Assise.

Le troisième maître romain connu est Pietro Cavallini, dont le nom apparaît pour la première fois à Rome en 1273. En fait, tout ce que nous possédons de son œuvre est ultérieur. Après avoir achevé la décoration de l'église Saint-Paul Hors les Murs (œuvre détruite au siècle dernier), il travailla vers 1290 à la fois à Sainte-Cécile et à Santa Maria in Trastevere, dont il réalisa les mosaïques. Lorsque la papauté prit le chemin d'Avignon, il se réfugia à Naples (1308) où des fresques de style analogue au sien survivent à la fois à la cathédrale et à Santa Maria Donnaregina. Son style narratif, tel que le révèlent les mosaïques de Santa Maria in Trastevere, est des plus vivants. Ses décors sont plus variés que ceux de Torriti et il semble avoir pris plus de risques dans le traitement de l'espace. La scène de l'Adoration des mages s'orne d'un petit paysage en arrière-plan. Sa technique picturale, dont un fragment du Jugement Dernier à

139 Sainte-Cécile constitue un bon exemple, est d'une douceur et d'une rondeur étonnantes dans la réalisation des drapés. En outre, la source de la lumière est constamment indiquée, détail naturaliste rare avant cette date mais qu'on trouve aussi dans l'œuvre du Maître d'Isaac. Tous ces traits le montrent déjà si loin de Cimabue et de Torriti qu'on l'a parfois assimilé à l'insaisissable Maître d'Isaac. Mais les probabilités sont minces. Malgré les analogies, le Maître d'Isaac se montre, à tous égards, plus ferme et plus résolument tridimensionnel que Cavallini. Ces œuvres, sur lesquelles allait se détacher celle de Giotto, appellent quelques remarques d'ordre général. La première est que le style mouillé avait laissé une marque indélébile sur l'art romain et ses dérivés. Les habits tendent désormais à coller plutôt qu'à pendre. Cela vaut même dans le cas de Giotto. Alors que les peintres septentrionaux usaient du corps humain comme d'un simple support à draperies, les peintres formés à Rome

s'ingéniaient déjà à mouler le drapé autour des corps dont ils suggèrent la forme. Cette forme est parfois étrange, du point de vue anatomique. Du moins la devine-t-on. D'où l'impressionnante présence des silhouettes de Giotto que ne viennent interrompre ou obscurcir ni les épaisses volutes ni les plis pendants de draperies trop lourdes.

De nouvelles tentatives d'imitation du monde naturel virent également le jour pendant les dernières années du XIII$^e$ siècle. On a déjà noté que le Maître d'Isaac et Cavallini montraient plus de cohérence que leurs prédécesseurs dans l'usage de la lumière. Le pli mouillé s'adoucit à son tour et, peu à peu, la draperie cessa de se réduire à des lignes divisant des surfaces planes pour se transformer en zones d'ombres et de lumières. Cette évolution, perceptible dès la peinture d'Assise représentant le sacrifice d'Abraham, est encore plus marquée dans le Jugement Dernier de Cavallini où l'éclairage est censé venir des fenêtres de l'église. La moitié des Apôtres qui entourent le Christ est éclairée d'un côté, l'autre moitié de l'autre. Le détail de cette évolution reste obscur, mais rappelons que la technique du modelage de la lumière avait déjà pénétré le Nord, comme nous l'avons vu au chapitre précédent. La troisième observation porte sur l'intérêt accordé à la maîtrise de l'espace pictural et à la création de l'illusion. Ce processus fait visiblement partie intégrante du même courant que les effets de lumière. On a souligné que les tentatives de réalisme illusionniste sont plus faciles à imaginer dans le contexte de peintures murales de grandes dimensions que dans l'enluminure. Dans ce domaine, en effet, l'œuvre de l'artiste est constamment confrontée au volume du bâtiment dans lequel il est appelé à prendre place. Les artistes d'Assise disposèrent un nombre considérable d'architectures fictives autour des scènes qu'ils exécutaient et ce type de décoration forme une sorte de transition visuelle vers l'architecture effective de l'église. Conscients qu'ils étaient des possibilités de l'illusionnisme, les peintres serbes de Sopocani avaient anticipé sur ceux de l'église des Quattro Coronati. Leurs successeurs romains poussèrent leurs investigations en ce sens encore plus loin que les artistes byzantins.

Giotto est mentionné pour la première fois à Florence en 1301, mais on tient pour acquis qu'il participa au jubilé de Rome en

1300. Les œuvres qu'il produisit à cette période ont été soit détruites soit irrémédiablement détériorées par les restaurations. A cette date, les principaux peintres de fresques semblent avoir eu Rome pour base. Les paragraphes ci-dessus donnent donc une idée de ce que fut sa formation. La première œuvre que nous avons de lui ne se trouve pas à Rome mais à Padoue. Il décora pour la famille Scrovegni une chapelle privée qu'on appelle aujourd'hui la chapelle de l'Arena. La décoration en fut achevée vers 1304-1313. La différence entre son travail et celui des maîtres romains déjà cités saute aux yeux. Même si on le compare à Cavallini, le style de Giotto, dès la période de la chapelle de l'Arena, est infiniment plus vivant. Ses personnages communiquent entre eux de manière plus convaincante et psychologiquement plus cohérente. Cette variété d'expression devait frapper Alberti qui donne une évocation vibrante d'une des œuvres de Giotto au Vatican, la *Navicella* (une mosaïque située dans l'atrium du Vieux Saint-Pierre représentant la tempête au cours de laquelle le Christ et saint Pierre marchèrent sur les eaux). Les constructions spatiales de Giotto sont à la fois plus ambitieuses et plus variées. Elles se plient plus heureusement à la taille des personnages. Seul le Maître d'Isaac peut être considéré comme ayant plus ou moins franchi le fossé qui sépare Giotto des vestiges de l'art roman. Dans l'identité perdue du Maître d'Isaac réside sans doute en partie la réponse au problème des origines immédiates de Giotto. Si l'apparition subite du génie nous rappelle sans cesse que rien en histoire ne peut être considéré comme inévitable avant de s'être produit, l'apparition de Giotto comme figure de proue du style nouveau reste, en l'état des choses, d'une brutalité insolite.

La chapelle de l'Arena constituait une entreprise ambitieuse pour un artiste à peine parvenu à maturité. Les dimensions de l'édifice ne sont pas imposantes mais toute la surface murale est couverte de peintures. Celles du chœur sont, de l'avis unanime, dues à des disciples. Mais celles de la nef semblent être presque entièrement de sa main. L'ensemble résume la Vie de la Vierge. Les dernières scènes, 140

140 Chapelle de l'Arena, Padoue. Intérieur, vue vers l'est. Fondée en 1303. Décoration achevée vers 1313 ?

141 Giotto, Les Noces de Cana. Chapelle de l'Arena, Padoue. 1305/1313 ?

situées dans le sanctuaire, comportent sur le mur oriental une Vie du Christ et un Jugement Dernier. Une série de Vertus et de Vices en grisaille orne le dé. Signalons d'emblée un effet d'optique ingénieux : de chaque côté de la voûte du chœur, Giotto a peint des entrées en trompe-l'œil sur des appartements imaginaires.

    Une scène suffira à donner une idée du style de cette œuvre. Les
141 Noces de Cana contiennent un récit télescopé. A gauche, Jésus assis donne à la servante l'ordre qui conduira au miracle. Marie, à droite,

142 Giotto, Résurrection de Drusiana. Florence, Santa Croce, v. 1320.

encourage les servantes à verser de l'eau dans d'immenses bassines, ce qu'elles font sans tarder. Mais voici l'intendant qui goûte déjà l'eau transmuée en vin. La convention qui consiste à multiplier les épisodes autour d'un thème unique est, bien entendu, fort ancienne, mais rarement une série avait gagné autant d'unité grâce à l'intercommunication de ses images et de sa gestuelle. Cette unité est d'ailleurs renforcée par la fermeté du cadre architectural. L'histoire est contée de bout en bout, sans détour ni surcharge, ce qui n'a pas empêché l'artiste de décrire des personnages nettement différenciés. Le gros intendant, notamment, est de toute beauté.

La chapelle de l'Arena est d'une confondante variété malgré l'uniformité relative de ses éléments décoratifs. Le dé est peint à l'imitation du marbre, les scènes étant séparées par des bandes serties de quatre-feuilles. Ce marbre et cette mosaïque fictifs visaient, à n'en pas douter, à conférer à l'intérieur de l'église une allure d'opulence peu coûteuse. Mais les décors des scènes de la fresque sont très variés, sauf là où les séquences dramatiques supposaient la répétition des arrière-plans, comme dans les différentes séquences de la Cène qui se déroulent dans un même édifice.

Seuls deux cycles des fresques tardives de Giotto ont survécu. Elles se trouvent toutes les deux dans l'église Santa Croce à Florence. Cette période de sa vie ne nous est connue que par bribes. Giotto exerçait ses activités à Padoue lorsque la cour des papes s'exila en Avignon. Il se replia sur Florence, sa ville natale, qu'il quitta, en 1328, pour la cour angevine de Naples où il demeura jusque vers 1334. Il revint alors à Florence où on lui confia, de manière assez inattendue, les travaux de la cathédrale : c'est sous sa direction que débuta, semble-t-il, le gros œuvre du campanile. Il mourut en 1337.

Les fresques de Santa Croce, qui datent d'avant 1338, sont situées dans les chapelles de deux familles de banquiers, les Bardi et les Peruzzi. Ce sont les seules œuvres qui témoignent de son dernier style. Une bonne partie de la richesse du détail est gommée au profit des décors qui ont gagné en ampleur par rapport aux personnages, lesquels paraissent d'autant plus massifs (surtout dans la chapelle 142, 144 Peruzzi) que les têtes ont perdu de leur volume. Les plis de la draperie sont plus lourds et parfois brisés. On voit comment, dans une

190

143 Giotto, Présentation de la Vierge. Chapelle de l'Arena, Padoue. 1305/1313 ?

certaine mesure, sa dernière période opère une synthèse entre le nouveau style et celui de la chapelle Saint-Sylvestre. L'un des problèmes récurrents de l'artiste soucieux de réalisme est la façon dont se contredisent l'espace tri-dimensionnel et les schémas de surface. Ce conflit (déjà présent dans l'enluminure) est illustré par les premières scènes de la chapelle de l'Arena. Dans la Présentation de la Vierge, la structure architecturale se projette franchement tantôt en avant 143 tantôt en arrière, ce qui confère à la fresque une présence infiniment

191

plus riche que chez ses prédécesseurs et même dans les autres œuvres de ladite chapelle. On pourrait s'étonner de ne pas trouver dans son œuvre un autre essai de représentation tridimensionnelle. Concluons-en que le résultat lui parut insatisfaisant, malgré sa hardiesse. Peut-être la définition spatiale de sa fresque était-elle trop explicite et contredisait-elle la composition de surface. Les autres peintures de la chapelle de l'Arena montrent que chaque fois que la structure de son décor exige de la profondeur, Giotto, préférant procéder par suggestions, évite presque systématiquement sa mise en valeur explicite. Les lignes de perspective ne se projettent jamais violemment sur le fond du tableau : elles sont souvent masquées par des personnages ou des objets insérés aux points d'intersection. Le procédé, encore plus marqué dans les personnages de Santa Croce, frôle l'excès dans la Résurrection de Drusiana. Ni le poids ni le volume des personnages de la scène ne sont contestables, pas plus que ceux de la maison devant laquelle ils se tiennent. Au contraire, l'ambiguïté plane sur les relations spatiales entre les personnages et le bâtiment. En fait, la fonction majeure de ce bâtiment n'est pas de délimiter la plate-forme sur laquelle se tiennent les acteurs du drame, mais de faire écho, dans la zone supérieure du tableau, à la concentration des personnages au premier plan. Les raisons de cette démarche sont, bien évidemment, d'ordre dramatique plutôt que décoratif. Giotto parvient ainsi à concilier la continuité des surfaces et la profondeur spatiale, opérant du même coup la synthèse entre le réalisme nouveau et le byzantinisme traditionnel.

144

En conclusion, on ne peut guère éviter de se demander en quel sens Giotto s'inscrit dans le cadre de l'art gothique. Giotto est bien moins gothique que les sculpteurs. Rien de surprenant à cela, si l'on considère l'ensemble de la peinture italienne. Giotto n'a pas succombé à la délicatesse chère aux sculpteurs d'Ile-de-France. Si l'on cherche des points de repère au nord, c'est plus dans le domaine de la sculpture que dans celui de la peinture qu'on les trouvera. Le rapprochement vaut d'ailleurs plus pour la sculpture du début du XIII$^e$ siècle que pour celle du début du XIV$^e$ siècle. La comparaison avec le style d'Amiens (vers 1220) s'impose. Mais on ne saurait la

144 Giotto, Résurrection de Drusiana. Chapelle Peruzzi, Santa Croce, Florence, v. 1320.

pousser très loin, car on n'a pas oublié que cette sculpture dérive d'un style parisien bien précis dont le lien avec l'art des ivoires byzantins reste fondamental. Faut-il considérer ces deux formes d'art comme des excroissances du style byzantin ? Quoi qu'il en soit, c'est dans le répertoire des motifs gothiques que puise Giotto. Ses maisons sont même dotées de détails gothiques, empruntés, semble-t-il, à des architectures romaines. Sa peinture décorative abonde en quatre-feuilles et les plis de ses drapés retombent généralement en V, malgré leur finesse. L'ensemble tend vers plus de naturalisme. Mais tous ces traits suffisent-ils à constituer un style gothique, au sens parisien du terme ? On peut en douter : une fois de plus, un Italien avait emprunté aux Français les éléments de sa vision personnelle pour en tirer un type d'art somptueusement différent. Mais la peinture italienne de la première période gothique ne constitue pas pour autant un phénomène homogène : elle comporte toute une série de styles. Rome demeura le foyer de la peinture murale de l'Italie du XIIIe siècle. Le centre pictural se trouvait en Toscane, notamment dans les villes de Pise, de Lucques et de Sienne. L'histoire de la

193

peinture sur panneaux présente bien des analogies avec la peinture murale. La draperie mouillée d'inspiration byzantine devait survivre jusqu'à la seconde partie du siècle et c'est seulement vers 1270 que devait se dessiner la métamorphose des conventions picturales. Mais la mutation stylistique ne devait se produire qu'avec le Siennois Duccio di Buoninsegna, sur lequel nous ne disposons que de renseignements lacunaires. Son nom apparaît pour la première fois en 1278, à propos des couvertures illustrées des livres de comptes du conseil municipal de Sienne. Cette commande en entraîna d'autres du même genre. A une exception près, toute son œuvre vit le jour à Sienne. L'exception est constituée par la Madone Rucellai, commandée en 1285 par une confraternité de Florence pour l'église Santa Maria Novella. Ni la nature ni la date de ses tableaux ne sont absolument corroborées par les documents en notre possession. La seule œuvre dont l'authenticité et la date soient incontestables est le retable qui porte sa signature, la Maestà qui ornait à l'origine le grand autel de la cathédrale de Sienne et dont l'essentiel se trouve actuellement au musée de l'Opera del Duomo. Réalisée entre 1308 et 1311, c'est une œuvre tardive de Duccio, dont on sait qu'il mourut quelques années plus tard, vers 1318-1319. Ce retable monumental à deux panneaux, destiné au grand autel qui se situait presque au centre de la cathédrale de Sienne, était conçu pour être vu des deux côtés. La face principale
145 montre la Vierge en gloire, entourée d'une cour de saints et d'anges. A cette scène centrale vinrent s'ajouter, sur le socle, une prédelle
146, 147 représentant l'Enfance du Christ et, en haut, les derniers épisodes de la Vie de la Vierge. De l'autre côté, des scènes du Ministère du Christ (sur la prédelle), de la Passion, de la Résurrection et des jours qui suivirent. L'obscurité plane sur certaines parties de l'œuvre, qui a été restaurée, mais il semble que l'autel originel était surmonté de gâbles, peut-être même de pinacles.

La Maestà constitue la base de toutes nos déductions sur le style de Duccio. Pour mesurer sa réussite, il est à peine nécessaire de revenir sur les fruits de sa collaboration avec le peintre Guido da Siena (v. 1260-1270). A bien des égards, le style de Guido rappelle, dans le domaine de la peinture sur panneaux, les peintures murales

145 Duccio, Saints et Anges. Façade de la Maestà, 1308-1311.

147 Duccio, Maestà, verso, 1308-1311.

d'Assise représentant Noé ou Abraham. Le pli mouillé a perdu de sa raideur et le peintre semble relativement averti des exigences de la représentation réaliste de l'espace. Mais la différence entre ces tableaux et l'œuvre tardive de Duccio est presque aussi frappante que celle qui sépare le style de Torriti de celui de Giotto.

L'esthétique des scènes narratives de la Maestà vient probablement de la peinture monumentale. La construction de l'espace reprend des idées appliquées à Assise, par exemple. Comme le Maître d'Isaac, Duccio reprend le même décor dans plusieurs de ses vignettes afin de souligner la continuité dramatique de son histoire. Et c'est sans doute aux peintres de fresques qu'il emprunte son art de modeler les formes à l'aide d'une lumière dont la chute est observée de façon plus ou moins logique et régulière. Il avait appris les arcanes de ces jeux de lumière, qui rapprochent ses draperies de celles de Cavallini, entre la période de la Madone Rucellai (1285) et 1308. L'idée d'agrandir la scène de la Crucifixion pour remplir les deux registres horizontaux de la face postérieure semble elle aussi venir de la peinture murale : un procédé analogue avait été utilisé dans la décoration du Vieux Saint-Pierre à Rome. Malgré ces emprunts, Duccio reste essentiellement un miniaturiste dont on remarque qu'il n'est jamais cité comme peintre de fresque. Son

146 Duccio, l'Entrée à Jérusalem. Maestà. Détail de l'ill. 147.

élégance et son raffinement n'avaient pas de précédents immédiats dans l'art italien. La densité de ses foules aux minuscules pieds agiles et aux petites mains agitées fait songer aux peintres de cour
95 français comme le maître du psautier de Saint-Louis, au point qu'on a suggéré qu'il aurait subi l'influence des miniaturistes français. Pour séduisante que soit l'idée, les éléments de preuve lui font singulièrement défaut. Certes, des maniérismes comme les ourlets en méandres trahissent l'influence du Nord. Le rapprochement s'im-
148 pose entre sa Madone des Franciscains, par exemple, et les person-
100 nages du retable de Westminster. Mais l'idée avait déjà été reprise par la famille Pisani. Il en va de même pour un autre détail d'origine septentrionale, le fond diapré de la Madone des Franciscains. L'idée avait fait son apparition sur le fond peint des bas-reliefs de l'arc San Domenico à Bologne, une châsse sortie de l'atelier des Pisani (1265). Il est donc possible que Duccio ne l'ait pas empruntée directement au nord, mais l'ait reçue de seconde main. On garde tout de même l'impression que, dès l'époque de la Maestà, il s'était rapproché des styles septentrionaux plus qu'aucun de ses contempo-
145 rains italiens. Effectivement, les saintes qui figurent sur l'avers de la Maestà font inévitablement songer, par la draperie et la position du
101 corps, à l'œuvre de Maître Honoré ou du Maître du psautier d'Alfonso. La réinterprétation par Duccio de la tradition italo-byzantine représentée par Guido da Siena lui permit d'atteindre dans le domaine de la peinture sur panneaux des résultats comparables à ceux de maîtres tels que Cavallini dans le domaine du grand format. Mais son œuvre surclasse largement celle de ses rivaux par l'élégance, la grâce et l'ingéniosité des détails pour lesquels il s'inspire de l'art du Nord. Ces éléments allaient jouer un rôle décisif dans l'évolution immédiate de la peinture gothique italienne.

Il est commode de voir en Simone Martini l'élève de Duccio, encore qu'on ne sache rien de sa vie avant 1315. A partir de cette date, les grandes lignes de sa carrière sont relativement claires : il passa l'essentiel de sa vie à Sienne et en Toscane, avec peut-être un

148 Duccio, Madone des Franciscains, v. 1295 ?

198

séjour à Naples vers 1317. Vers 1340, il gagna Avignon où il demeura jusqu'à sa mort en 1344, non sans avoir revu Naples. Son œuvre remporta un vif succès en dehors de la Toscane et tout permet de supposer que sa grâce et son élégance l'auraient rendue acceptable à Paris. Simone Martini pousse les tendances nordiques de Duccio bien plus loin que son maître présumé. A l'essor du gothique en Italie, il apporte un sens aigu des traits les plus évidemment liés à l'art de cour, la finesse, la dextérité dans le traitement du détail, le goût du faste et de la grandeur, le sens du costume et de la mode, l'art du portrait et du blason. On ignore d'où lui vint sa passion pour l'esthétique de cour. Toujours est-il qu'on en devine la présence dans son œuvre dès avant 1320. Étrange paradoxe que la réussite de cet artiste de cour en plein cœur de la république de Sienne !

La mode internationale, qui montait à l'assaut de l'Italie, devait trouver son expression la plus évidente dans la première commande de Simone Martini, la Maestà de la salle de la Mappemonde du 149 Palazzo Pubblico de Sienne (1315). La Vierge y trône en gloire sous un vaste dais. Les commentateurs comparent inévitablement cette fresque à la Maestà de Duccio. La démarche est stylistiquement juste. Mais, du point de vue iconographique, l'ouvrage appartient sans doute autant à une autre tradition septentrionale, qui consistait à placer dans un lieu public l'effigie en gloire du représentant de l'autorité. Le meilleur exemple en est le portrait d'Édouard le Confesseur entouré d'ecclésiastiques sur un des murs de la Chambre peinte de Westminster. Les Siennois se firent un point d'honneur de posséder une œuvre de ce genre, preuve que la mode de cour transalpine n'y était pas inconnue. Seule l'élection récente de la Reine des Cieux comme *podestà* (chef du gouvernement local) rendit cette imitation possible.

Techniquement, la dette de Simone Martini envers Duccio est considérable. Mais son talent couvre des registres infiniment plus variés. La diversité de ses dons est telle qu'il reprend comme si cela allait de soi la plupart des traits de la peinture italienne de la première moitié du XIV$^e$ siècle pour répondre aux commandes de tous ordres. Aux trois grands retables qu'il a signés, il faut ajouter les fragments d'au moins trois autres retables. Celui qu'il destinait à

149 Simone Martini, Vierge en majesté, 1315. Restaurée par Simone Martini en 1321.

l'église Santa Catarina de Pise (1319) est le premier grand polyp-  150
tyque de l'art gothique italien à nous être parvenu presque intact. La
splendeur de sa silhouette coiffée d'un étage de gâbles permet d'imaginer ce que fut le dernier état de la Maestà de Duccio. La peinture
proprement dite est d'une élégance éblouissante que soulignent la
variété et l'habileté de chacune des silhouettes. L'ensemble de l'autel
comprend plus de quarante personnages, entreprise qui, aux mains
d'un artiste moins doué, aurait sombré dans la monotonie.

Le retable de Saint-Louis de Toulouse, peint vers 1317, à l'inten-  151
tion de Robert le Sage, duc d'Anjou et roi de Sicile, est d'un genre
tout différent. Saint Louis de Toulouse est figuré sur son trône, avec
son frère, Robert le Sage, agenouillé devant lui. Le caractère familial
du tableau n'a rien de surprenant. Plusieurs dynasties royales de
l'Europe médiévale comptaient des saints dans leur famille. Le
sentiment général était que les saints redoraient le blason de leur

150 Simone Martini, polyptyque destiné à Santa Caterina. Pise, 1319.

dynastie. Le retable de Saint-Louis de Toulouse se veut imposant : le panneau supérieur, de grandes dimensions, contient l'image du saint ; la prédelle rassemble cinq saynètes illustrant des épisodes de sa vie. C'est le premier retable à prédelle historiée qui nous ait été transmis dans son intégralité. Sans doute n'était-ce pas une innovation : la Maestà de Duccio comporte une prédelle du même type et Duccio avait réalisé un retable à prédelle (perdu) dès 1302. Mais celui de Simone Martini préfigurait le retour du retable à ses dimensions normales. Il y ajouta un raffinement de son cru : les lignes de fuite des architectures peintes des scènes latérales sont orientées vers le centre de la prédelle, si bien que l'ensemble du retable doit son unité à un procédé qui se rapproche de la perspective. En tant que monument familial, le retable de Saint-Louis de Toulouse constituait un bon exemple de l'art de cour. Depuis peu,

151 Simone Martini, retable de Saint-Louis de Toulouse, v. 1317.

les mécènes exigeaient une ressemblance jusqu'alors associée à la seule sculpture. Le souci de ressemblance est ici tellement poussé que même le personnage agenouillé de Robert le Sage a droit à un véritable portrait. On retrouve le même rapprochement avec l'art du portrait dans l'image du mécène de Giotto, Enrico Scrovegni, sur le mur est de la chapelle de l'Arena, à Padoue. Sans parler du fameux 172 profil de Jean le Bon de France qu'on devine à l'arrière-plan du tableau (actuellement au Louvre). L'accent porte surtout sur le costume. Robert le Sage arbore une robe ornée, comme la chape de saint Louis, de nombreux blasons aux armes de la famille. Le décor gagne d'ailleurs le cadre : le panneau s'orne d'une frise de fleurs de lys sculptées. Des pièces d'orfèvrerie viennent rehausser l'ensemble et parer la silhouette du saint roi. Les pierres semi-précieuses qui décoraient notamment les couronnes ont disparu, mais on se rappelle que ce détail était de règle pour les effigies funéraires royales dans les pays du Nord. Le troisième des retables de Martini (1333) était destiné à l'autel de la cathédrale de Sienne. La scène de l'An-152 nonciation y est flanquée de deux figures de saints (Ansano et Gius-tina). Il porte à l'extrême les traits les plus connus du style de Simone Martini : ses longues silhouettes éthérées, d'une élégance incomparable, sont mises en valeur par une décoration sans pareille. Mais dans cette Annonciation, les décors, au sens théâtral du terme, jouent un rôle négligeable, si l'on songe à l'Annonciation de la chapelle de l'Arena par Giotto ou à la petite Annonciation du polyptyque de Pietro Lorenzetti (1320). Ici, rien ne vient souligner la matérialité du cadre. Même le trône de marbre de la Vierge est, pour une bonne part, voilé par de volumineuses draperies.

Imaginer que la peinture de Simone Martini reproduit infailliblement le style de ses retables serait sous-estimer la diversité de son art. Ses œuvres connues offrent une variété de tailles remarquable. Cela va de la feuille de manuscrit jusqu'aux fresques monumentales de l'église inférieure d'Assise qui retrace toute la vie de saint Martin, en passant par des vignettes destinées à des autels portables. Les différences dans le traitement des thèmes dramatiques sont telles que la datation de ces œuvres ne va pas sans encombre. Le petit panneau 153 de Liverpool où Joseph et Marie grondent le Christ qui s'est attardé

204

au temple porte fort heureusement une date, 1342 : cette excursion de Simone Martini dans un domaine iconographique qui lui était peu familier date donc de la fin de sa vie. Elle rappelle à certains égards l'Annonciation des Offices : les plis décoratifs et les ourlets y sont traités de manière analogue. Cette vignette représente une situation complexe centrée sur un problème familial quasi insoluble. Le sujet est traité avec une habileté et une pudeur admirables, l'équilibre entre le récit et la décoration touchant à la perfection.

Dès le premier regard, on constate à quel point Simone Martini a su prendre ses distances par rapport au style de la dernière période de Duccio. Tous les personnages, à commencer par celui du Christ, ont un poids et une fermeté inégalés dans la Maestà. Comparés à ceux des années 1340, les drapés de Duccio semblent inutilement compliqués ; les petits plis arrondis ont cédé la place à un mouvement plus ample où les bords et les plis décrivent des courbes plus larges sans masquer pour autant les formes qu'ils revêtent.

Une autre facette du style de Simone Martini est illustrée par l'intensité expressive du polyptyque dit d'Anvers. Ce tableau minuscule a, hélas, été démembré : quatre de ses panneaux se trouvent à Anvers, un à Paris, le dernier à Berlin. Vu dans son intégralité, il est fort inquiétant. Fermé, il montre une Annonciation malheureuse et inquiète : la Vierge tente de se soustraire à l'impact du message angélique avec encore plus de violence que sur le retable des Offices. Ouvert, il impose au spectateur les quatre scènes de la Passion : la Montée au calvaire, la Crucifixion, la Déposition et la Mise au tombeau. Avant Martini, le naturalisme gothique n'avait atteint cette intensité affective qu'en sculpture, dans certaines œuvres allemandes du milieu du XIIIᵉ siècle (voir ci-dessus, p. 58) et dans l'œuvre de Giovanni Pisano. En fait, Simone Martini fut le premier à mettre son exceptionnelle habileté picturale au service de l'expression des sentiments extrêmes : le résultat est d'une violence contenue dont la peinture n'offre pas d'équivalent avant lui. Au contraire, les fresques 154 de la Vie de saint Martin à Assise respirent tant la détente qu'on en vient à douter de son attribution. En l'absence de documents, force est d'admettre que l'allure des personnages féminins et leur draperie rappellent si fortement les autres œuvres connues de Simone Martini

152 Simone Martini, l'Annonciation. Partie centrale du retable destiné à la cathédrale de Sienne, 1333.

153 Simone Martini, le Christ et ses parents, 1342.

que le doute n'est guère de mise. Les fresques d'Assise sont là pour nous convaincre qu'un génie n'est pas forcément l'homme d'un seul style et que son style peut évoluer suivant ses préoccupations au moment de la création. Dans le cas présent, Simone Martini s'est visiblement inspiré des fresques de saint François auxquelles il semble avoir emprunté des décors pour des scènes comme celle des Funérailles de saint Martin. Contrairement au polyptyque d'Anvers, les personnages semblent masquer sous un air impassible des sentiments ambigus. Dans les décors et les costumes, Martini a multiplié les détails. L'Adoubement de saint Martin semble rassembler une partie des personnages que Simone s'attendait à trouver dans une cour royale, à commencer par les serviteurs, dont un maître-fauconnier, faucon au poing, et un groupe de ménestrels.

De même la scène où saint Martin renonce à la profession de chevalier donne sans doute une image assez fidèle de ce que devait être le quartier général d'une armée vers 1330 : le roi (ici l'empereur Julien) trône devant sa tente emblasonnée, au milieu d'une cohorte d'officiers, vêtus de façon ostentatoire, l'arme à la main, l'éperon au pied, pendant que les chevaux patientent à l'arrière-plan. Sans doute l'œuvre était-elle destinée à la chapelle d'un palais. La décoration en est splendide. Le dais fait face à du marbre authentique (contrairement à ce qui passait dans la chapelle de l'Arena, à Padoue) ; les fenêtres sont de vitrail et les fresques agrémentées de feuillures d'or. Il n'est pas impossible que Simone Martini ait conçu l'ensemble. Quoi qu'il en soit, deux traits architecturaux indiquent à quel point l'influence du Nord y joua un rôle déterminant. D'une part, le bas de la chapelle est recouvert d'un motif de quatre-feuilles ajourées si dense et si bien placé qu'il reproduit sans doute celui qui embellissait le bas des portails français de la fin du XIII$^e$ siècle (voir p. 113). D'autre part, les embrasures de fenêtres portent des peintures de saints, en buste, sous des dais dont les arches trifoliées se retrouvent dans l'arcade qui leur fait écho en arrière-plan. L'idée du double niveau de dentelles de pierre dans le style rayonnant est ici adaptée à

154 Simone Martini, Adoubement de saint Martin. Chapelle San Martino. Église inférieure de Saint-François, Assise, v. 1330 ?

un projet précis, assez proche de l'usage qui en était fait à Saint-Urbain de Troyes, par exemple. Nous avons souligné les réticences des maçons italiens à l'égard du style rayonnant. Il n'en est que plus curieux de voir un peintre en reprendre un des principaux motifs.

L'une des plus grandes peintures à fresque de Simone Martini fait face à la Maestà dans la salle de la Mappemonde. Elle représente le 155 condottiere Guidoriccio da Fogliano à cheval. Nos connaissances sont minces sur la représentation équestre au Moyen Age et il est difficile d'en discuter tant que l'identité des Cavaliers de Bamberg et de Magdebourg (XIIIᵉ siècle) demeure incertaine. Toujours est-il que le portrait de Guidoriccio est le premier portrait équestre attesté d'un personnage contemporain. Il fut réalisé en 1328, l'année même où le général battit les Florentins et s'empara des deux villes de Montemassi et Sassoforte. Qui était mieux qualifié que Martini pour lui rendre cet hommage où l'héraldique se mêle à l'art du costume et du portrait ? Par un véritable coup de génie, il choisit d'exclure tous les autres éléments humains de la scène. L'arrière-plan, ses deux villes et ses camps retranchés, deviennent, en un sens, le symbole même de la réussite du condottiere. Mais aucun de ces éléments ne rivalise avec la silhouette du cavalier au centre du tableau.

La multiplicité des dons de Simone Martini explique que ses services aient été sollicités en dehors de Sienne et qu'il ait terminé sa vie en Avignon. Peu de choses ont survécu de cette période. Citons néanmoins, outre le retable de Liverpool déjà mentionné, la série de superbes portraits récemment découverts à l'intérieur du portail ouest de la cathédrale d'Avignon dont il décora le tympan et le gâble. Bien que les fresques aient quasiment disparu, la couche pré-157 paratoire a survécu : ces magnifiques ébauches monochromes constituent l'exemple idéal de ces peintures préliminaires dont la mode se répandit de son temps. Généralement réalisées en ocre rouge – baptisée *sinopia* (sinopie) parce qu'elle venait de Sinope, en Asie Mineure –, elles fournissent des informations précieuses sur les méthodes de composition : ce sont les seules ébauches qui aient survécu de cette période. Le travail de Simone Martini à Avignon montre qu'en cours d'exécution, il modifia sur bien des points de détail l'organisation de sa fresque. Au départ, le Christ devait tenir

155 Simone Martini, effigie équestre de Guidoriccio da Fogliano (détail), 1328.

un livre ouvert. Ce livre devint un globe où sont représentés, en
miniature, l'eau, les montagnes, les arbres et les étoiles – symboles
du monde visible dont le globe était lui-même le symbole. Ce détail
est d'autant plus intéressant qu'il est extrêmement rare. On ne le
retrouve guère que dans le retable de Westminster (voir p. 134),
preuve supplémentaire, et combien intrigante, des liens entre
Simone Martini et le gothique septentrional.

Nous nous sommes étendus sur le cas de Simone Martini dans la
mesure où sa peinture ambitieuse et variée illustre bien des aspects
de l'art gothique italien de la première moitié du XIV$^e$ siècle. Mais,
de même que personne n'osa rivaliser avec l'austérité et la concentration de l'œuvre de Giotto vers 1320, rares furent ceux qui entre-
prirent d'imiter la grâce et l'élégance des personnages de Simone
Martini. Parallèlement à l'œuvre de ces deux hommes, se développa
ce qu'on pourrait désigner comme une série de styles intermédiaires,
plus vigoureux que celui de Simone Martini, plus extravagants dans
le traitement du détail et du décor que celui de Giotto. Le meilleur
représentant à Florence en est Taddeo Gaddi. Les fresques peintes
dans la chapelle Baroncelli de Santa Croce vers 1332-1338 (donc,
pour l'essentiel, du vivant de Giotto) ajoutent à la variété du décor
un illusionnisme saisissant dans le détail des architectures peintes.

Malgré son goût pour l'anecdote souvent teintée de sentimentalisme, Taddeo Gaddi est un artiste de valeur que devaient néanmoins largement surpasser à Sienne les frères Pietro et Ambrogio Lorenzetti.

La première œuvre attestée de Pietro Lorenzetti date de 1320, celle d'Ambrogio de 1319 (encore l'œuvre ne lui est-elle qu'attribuée). Ils étaient donc plus vieux que Taddeo Gaddi mais plus jeunes que Simone Martini. Pietro signa, en 1320, le retable de Pieve d'Arezzo qui nous intéresse parce que son format se rapproche *grosso modo* de celui de Simone Martini à Pise, dix ans plus tard. Mais les personnages y ont une tout autre allure. Plus solides, plus

156 Pietro Lorenzetti, retable de Pieve, Arezzo, 1320.

156

157 Simone Martini, *Salvator Mundi*. Peinture en ocre rouge destinée à la fresque du portail de Notre-Dame-des-Doms. Avignon. V. 1340-1344.

grands d'apparence, ils sont vus en plan américain. La Vierge à l'ample visage fixe un regard lourd sur l'Enfant qu'elle soutient d'une main raide. L'idée de ce regard fut sans doute empruntée à Giovanni Pisano. Autant les personnages de Simone Martini semblent impassibles, autant ceux de Pietro paraissent ruminer. Mais ce retable frappe surtout par l'absence de l'élégance à la parisienne qu'on trouve avant cette date dans l'œuvre de Duccio et de Simone Martini. En haut, l'Annonciation nous réserve une surprise : le décor de l'action inclut le cadre du retable proprement dit, les baguettes figurant la maison où la Vierge est assise. Ce genre de confusion entre l'univers peint et le monde réel se retrouvera dans la Naissance de la Vierge de Pietro Lorenzetti (1342) : l'idée faisait partie intégrante du répertoire des peintres de fresques.

Les frères Lorenzetti excellaient dans ce domaine, mais devaient beaucoup à Giotto – ainsi, la scène représentant saint Louis de Toulouse devant Boniface VIII, peinte par Ambrogio vers 1325 pour le chapitre de San Francesco de Sienne, semble développer la composition d'une des scènes de Giotto dans la chapelle Bardi à Santa Croce. Mais l'accent porte désormais sur la cour réunie qui, contrairement à la manière de Giotto, relègue dans l'ombre l'action principale. Ambrogio a choisi de traiter un sujet quasi contemporain de façon à jouer sur la variété des costumes et des expressions qui se lisent sur le visage des différents spectateurs. Si bien que l'ensemble de l'œuvre rappelle surtout les fresques de Saint-Martin de Simone Martini.

158 Pietro Lorenzetti, Crucifixion. Église inférieure de Saint-François, Assise, v. 1330.

159 Disciple de Pietro Lorenzetti, la Cène. Église inférieure de Saint-François, Assise, années 1330 ?

Le plaisir du détail descriptif doit être compris comme une des caractéristiques de la période. On le retrouve dans toutes les peintures murales produites par l'atelier de Pietro Lorenzetti et notamment dans la série de fresques exécutées vers 1330 dans l'église inférieure de Saint-François d'Assise sur le thème de la Passion. Comme chez Ambrogio, la dette à Giotto est perceptible en de nombreux détails. La Déposition frappe par la violence de ses regroupements, le caractère massif de ses personnages et le refus de toute expressivité dans l'action ou le sentiment. Au contraire, dans d'autres scènes, on a l'impression que tout est sacrifié à une débauche de détails descriptifs qui eût horrifié Giotto. La Crucifixion est conçue de manière 158 panoramique, peut-être sous l'influence du bas-relief que Giovanni Pisano avait consacré au même thème sur la chaire de la cathédrale de Pise. Dans un vaste paysage se bousculent les cavaliers, prétexte à un extraordinaire déploiement de costumes, d'uniformes, de chapeaux, de casques, de physionomies expressives. Le tableau doit sa réussite au contraste entre la foule hétérogène et la solitude immobile des croix qui la surplombent.

Parmi les peintres qui assurèrent la finition du cycle de la Passion à Assise figurait un artiste dont l'œuvre est hautement individuali-
159 sée. La Cène montre jusqu'où il pouvait aller pour rendre ses décors intéressants. L'action se déroule dans un étrange édifice hexagonal qui, comme on l'a souvent souligné, rappelle la partie inférieure d'une chaire. C'est la nuit, la lune brille et le peintre s'est ingénié à montrer que le spectacle est éclairé artificiellement de l'intérieur. Le plus surprenant est un ajout latéral où l'on voit les servantes laver les plats à côté d'un brasier en compagnie d'un chat et d'un chiot. L'œuvre n'est certainement pas de Pietro Lorenzetti : les séquences narratives, confuses et peu sélectives, semblent axées sur la recherche du détail gratuit, ce qui n'est jamais le cas dans l'œuvre connue de Pietro. Ce maître inconnu avait pourtant le sens de l'expérimentation et sa vision des cuisines est un petit chef-d'œuvre d'originalité.

Au cours des années 1330, Ambrogio Lorenzetti supplanta sans doute Simone Martini à Sienne, peut-être après le départ de ce dernier en Avignon : en 1338-1340, il s'attaqua aux fresques de la Sala del Nove qui jouxtait celle où se trouvaient la Maestà et le Guidoriccio de Simone Martini. Considérant que c'était la salle du conseil des magistrats de la cité, il opta pour le thème allégorique du Bon et du Mauvais Gouvernement. La représentation du Vice et de la Vertu s'appuyait sur une longue tradition de l'art médiéval. Sur un des murs trônent, entre autres, la Justice, le Bien Commun, la Providence et la Tempérance. A côté, la Tyrannie, entourée des Vices correspondants, se détache sur deux paysages urbains ou champêtres
160, 161 qui illustrent les effets de ces deux types de gouvernement. Depuis l'époque classique, plus personne ne pratiquait ce genre de présentation panoramique de la ville et de la campagne. Ces fresques

illustrent de manière éloquente le degré de maîtrise acquis par l'Italie durant la première moitié du siècle dans le domaine de la composition, du contrôle de l'espace et du sens de la distance. Les éléments de cette juxtaposition de la ville et de la campagne étaient déjà présents dans l'Entrée à Jérusalem de Duccio. S'il est vrai que la passion du détail descriptif est le dénominateur commun de la plupart des artistes de l'époque, il faut admettre que les Italiens avaient l'art d'organiser de telles profusions de détails en un tout spatialement cohérent.

146

D'où venait l'idée de ces immenses panoramas ? La réponse n'est pas claire. Nous avons du moins la certitude que la ville présentée comme celle du Bon Gouvernement n'est autre que Sienne (celle du Mauvais Gouvernement a hélas beaucoup souffert, en tant que fresque). En haut à gauche, on reconnaît le dôme et le campanile de la cathédrale et bien que cette partie ait été repeinte au XIVe siècle peu après l'achèvement de la fresque, rien n'autorise à penser que ces éléments n'y figuraient pas au départ. De tels indices rattachent cette fresque au genre du « portrait architectural » qui était en plein essor depuis la fin du XIIIe siècle. Les peintres avaient pris l'habitude de préciser les tenants et aboutissants de leurs tableaux en y incluant quelques objets aisément identifiables. C'est ainsi que, dans le cycle de Saint-François, l'auteur de saint François et le Pauvre d'Assise avait glissé à l'arrière-plan une version presque conforme du petit temple classique qu'on voit encore dans la rue principale de la ville – où la scène s'était déroulée. A Rome, les artistes incorporaient des monuments aussi reconnaissables que le Panthéon, la colonne de Trajan, la tour des Soldats ou la pyramide de Sestus. La fresque qui donne à voir Sienne et ses environs ne se contente pas de prolonger cette idée. Elle en tire un parti nouveau et mobilise à son profit les techniques infiniment plus évoluées dont disposait l'artiste près d'un siècle et demi après l'apparition de ce nouveau genre.

Nous avons omis de parler de l'enluminure italienne. La tradition du manuscrit illustré avait ses règles et ses rythmes. En Italie, elle resta pourtant sous la coupe du style dominant des œuvres de grandes dimensions : c'est là que se produisaient les mutations décisives. Si bien que l'enluminure italienne resta cantonnée dans un statut d'art mineur. On l'a d'ailleurs relativement peu étudiée, si l'on songe à la masse des recherches accomplies sur des personnages comme Giotto ou Simone Martini. L'espace nous manque pour rendre justice à toutes les ramifications de ce sujet. Rappelons simplement que si, pendant toute cette période, Bologne resta le haut-lieu de l'édition italienne, la plupart des grandes cités disposaient de leurs propres *scriptoria*. Autour de la Maison des Anjou à Naples naquit ce qu'on pourrait appeler l'enluminure de cour. Les manuscrits italiens se reconnaissent à leur style pictural autant qu'à leur graphie. Ils disposent en général d'un type de décoration marginale qui diffère totalement de celle des contrées du Nord soumises à l'influence de Paris. Contrairement à la décoration fluette et nerveuse du Nord, les marges italiennes sont habituellement occupées par une espèce de feuille d'acanthe fleurie dont les torsions modifient le motif. Cette convention devait d'ailleurs finir par influencer celles du Nord.

160-161 Ambrogio Lorenzetti, les Effets du Bon Gouvernement, fresque pour la Sala del Nove, Sienne, 1338-1340.

## CHAPITRE QUATRE

## L'art européen de 1350 à 1400

A mi-chemin entre le XIII$^e$ siècle parisien et le XVI$^e$ siècle italien, les années 1350-1400 sont stylistiquement indécises. Durant cette période nombre des innovations formulées entre la moitié du XIII$^e$ siècle et la moitié du XIV$^e$ siècle reçurent leur plein développement, mais on a l'impression que les traditions existantes furent embellies plutôt que modifées. L'époque est marquée par l'émergence d'un centre artistique et culturel nouveau, Prague, où la cour impériale résida près d'un demi-siècle. En 1346, Charles de Luxembourg fut élu empereur sous le nom de Charles IV. Depuis 1333, il régnait sur la Bohême comme régent de son père. Quand, en 1346, son père vint à mourir, il hérita du trône. Prague était déjà le centre de son pouvoir et de son influence, et le statut de la capitale s'était amélioré. En 1344, l'évêché s'était transformé en archevêché et presque aussitôt, on avait entrepris la construction d'une nouvelle cathédrale. Quatre ans plus tard, une nouvelle université fut fondée et, pour répondre à ses propres besoins, Charles IV fit bâtir, en dehors de la ville, le palais-château de Karlstein.

La cathédrale est sans doute le monument le plus intéressant du nouveau régime. C'est assurément une des plus importantes églises dont la construction fut entreprise au XIV$^e$ siècle. Le plan élaboré par le maître maçon de la cathédrale de Narbonne, Mathias d'Arras, respectait les principes de l'art français. Quand il mourut en 1353, il fut remplacé par Peter Parler, membre d'une famille renommée de maçons allemands (son père Heinrich avait dirigé l'édification de l'église de la Sainte-Croix à Schwäbish Gmünd). Peter Parler supervisa la construction jusqu'à sa mort en 1399. A ce stade, le chœur,

162 Cathédrale de Prague. Façade du transept sud. Fondée en 1344.

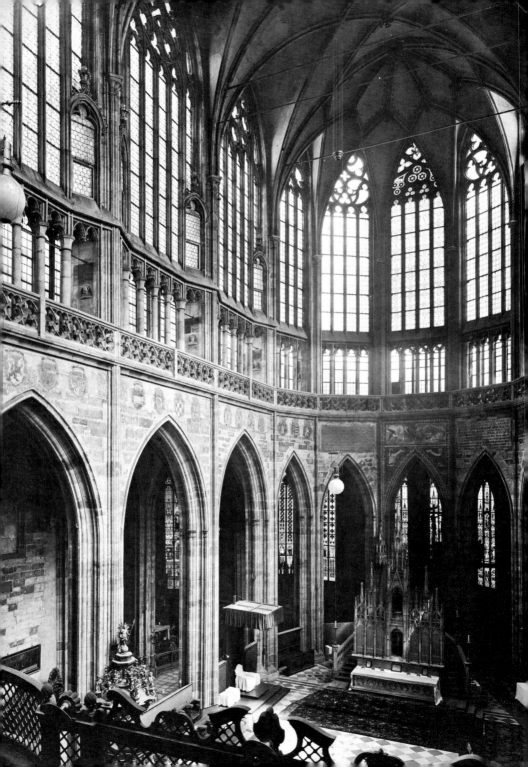

163 (*A gauche*) Cathédrale de Prague. Intérieur du chœur. Fondée en 1344. Partie supérieure postérieure à 1374.
164 Cathédrale de Prague. Voûte du portail du transept sud.

une bonne partie du transept sud et la tour étaient terminés. Le reste de l'édifice date du XIX^e siècle. La plupart des traits originaux de cet édifice – et ils sont nombreux – doivent être attribués à Peter Parler. Ce qui est frappant, c'est que, si on les additionne, ils donnent l'impression que Parler, Dieu sait par quel biais, connaissait l'architecture anglaise. La partie supérieure du chœur, commencée en 1374, **163** s'écarte de la tradition rayonnante en ce que les fenêtres sont placées derrière la ligne de l'arcade. La surface verticale est accentuée par une lourde balustrade qui court le long de l'arcade du triforium et par des arches en diagonale qui traversent les angles de chaque baie. Or la diversité des niveaux et cette manière de souligner les effets constituent des traits du style anglais que nous n'avons pas étudiés en détail (voir chapitre II). Mais surtout, le chœur de Prague fut le premier à être pourvu d'une voûte en filet, étroitement liée aux expériences anglaises en matière de dessin de voûtes. Deux petites voûtes de la cathédrale de Prague, celles de la sacristie et du portail **164** sud, suggèrent des liens similaires. Ce sont de petites voûtes dont les nervures découvertes ne disposent pas de parois intersticielles. Ici encore les précédents immédiats se situaient en Angleterre. Citons la cathédrale de Bristol, et l'antichambre de la chapelle de Berkeley (v. 1305-1310). Ces connexions avec l'Angleterre peuvent surprendre mais elles nous rappellent que dans l'Europe de 1350 bon nombre des expérimentations architecturales les plus intéressantes se produisaient en Angleterre. Certains aspects de la décoration de la cathédrale de Prague virent sans doute le jour à l'arrivée de l'empereur. Les murs de la chapelle Saint-Wenceslas sont incrustés de grands blocs polis de pierres semi-précieuses – trait qu'on retrouve au palais 162 impérial de Karlstein. La façade du transept sud est décorée d'une mosaïque monumentale représentant le Jugement Dernier (1370-1371), idée qui, sans aucun doute, vient d'Italie (comparer avec Suger, voir p. 11). On retrouve l'influence de l'Italie dans l'abondance inhabituelle des peintures narratives. Charles IV vit sans aucun doute en cette cathédrale un monument à sa gloire. A l'instar de saint Louis, il fit transférer les cendres de nombre de ses ancêtres de Bohême dans un mausolée situé dans les chapelles orientales et il se ruina à amasser dans l'église de l'argenterie, des bijoux et des reliques. Comme on pouvait s'y attendre, il se fit représenter plusieurs fois dans la décoration, notamment dans la série de bustes sculptés du triforium. Cette galerie de personnalités inclut les frères de Charles, son héritier Wenceslas, trois archevêques de Prague et les deux maîtres maçons successifs de l'entreprise. Les membres de la 165 famille royale et ceux qui bâtirent l'édifice entourent l'empereur dont l'épouse occupe la place d'honneur sur l'axe central. Charles IV semble avoir conçu la cathédrale de Prague comme une Sainte-Chapelle dont l'éclat serait à la mesure de la dignité impériale. Il fit également ériger une chapelle dans son palais et une série de chapelles privées dans le château de Karlstein. Cette forteresse fut construite puis décorée entre 1348 et 1367 pour l'essentiel. Mis à part une perte décisive (la peinture du grand hall), l'ensemble de la décoration a survécu à des degrés divers. Bien que l'ensemble soit conforme sur bien des points aux traditions occidentales, les peintures de Karlstein présentent une curieuse originalité. L'influence stylistique majeure est italienne. Charles semble avoir aimé

165 Cathédrale de Prague. L'empereur Charles IV, triforium de l'abside. Dernier quart du XIVᵉ siècle.

la peinture italienne. Il avait exercé la fonction de régent en Italie. Le retable de la chapelle principale de Karlstein (la chapelle de la Sainte-Croix) fut conçu par un Italien, Tomaso de Modène. Les peintres de l'empereur avaient soigneusement étudié l'illusionnisme italien et produisirent quelques remarquables effets de trompe-l'œil. 168 Certains décors semblent vraiment être en trois dimensions comme

166 Le Maître de Bohême. Madone de Glatz, v. 1350.

167 dans les fameuses scènes où Charles offre et reçoit des reliques. Les grands visages fortement modelés font d'ailleurs très italien. Les peintres de Charles IV furent les premiers en Bohême à s'inspirer
166 sans détour de l'art de Sienne. La Madone de Gladtz (Gladsko) a quelque chose de la splendeur et de l'élégance de certaines peintures de Simone Martini. Elle fut peinte vers 1350 pour l'archevêque de Prague, Ernest von Pardubic, qui entendait la placer sur l'autel de sa fondation de Gladz. L'influence italienne apparaît aussi dans le cycle incomplet des neuf panneaux du monastère cistercien de Hohenfurth (Vyssi Brod). Quoi qu'il en soit, les œuvres ultérieures ne revêtent pas la même élégance. Les personnages paraissent plus massifs, les têtes ont tendance à être plus grandes et la draperie

226

167-168 Château de Karls-
tein. Chapelle de la Vierge.
Scènes commémorant la
donation des reliques à
l'empereur et détail de la
peinture illusionniste du
dessous. 1357 ? ou peu
avant.

beaucoup plus épaisse, plus lourde et plus enveloppante. Les origines de ce développement posent problème. Ces traits sont poussés à l'extrême dans la chapelle de la Sainte-Croix dont la décoration fut probablement achevée en 1365. Le plan d'ensemble de cette chapelle est peu commun. La partie inférieure des murs est incrustée de blocs de pierres semi-précieuses comme dans la cathédrale dont nous avons parlé. Au-dessus, les murs sont recouverts de panneaux peints, chaque panneau abritant un saint. Nombre de ces panneaux contenaient autrefois des reliques. On a le sentiment d'une chapelle dont les murs seraient recouverts d'icônes. Reste que, malgré l'impression globale d'opulence, tout ceci n'a pas grand-chose à voir avec la Sainte-Chapelle de Paris, dont le goût semble ici perverti. Le peintre de la chapelle s'appelait Théodoric. Ses origines sont complètement inconnues. Il a laissé une série de personnages trapus

169, 170

169 Château de Karlstein. Chapelle de la Sainte-Croix. Décoration, 1357-1367.

170 Maître Théodoric. Prophète. Chapelle de la Sainte-Croix, château de Karlstein, v. 1357-1367.

et difformes dont on n'a jamais cherché à percer l'identité. Aucun autre monarque européen ne pouvait se vanter de posséder un peintre comme Théodoric. Curieusement, son style fut toléré par un homme qui avait grandi à la cour de France. En effet Charles avait passé son enfance en France et avait été marié à Blanche de Valois, sœur de Phillipe VI de France, morte en 1348. Il admirait assez la Sainte-Chapelle pour la faire reproduire à plus grande échelle sur le flanc est de la chapelle du palais d'Aix-la-Chapelle (commencée en 1355). Il employa pour la cathédrale de Prague un maçon français qui semblait connaître la délicatesse et le raffinement des miniatures

171

171 Cathédrale d'Aix-la-Chapelle. Intérieur du chœur, commencé en 1355.

françaises contemporaines. Sa propre sœur, Bonne de Luxembourg, appréciait, pour sa part, les manuscrits de l'atelier de Pucelle.

Mais le style délicat de Jean de Pucelle n'était pas vraiment représentatif de l'art parisien des environs de 1360. Il est possible que le style de Théodoric et de ses associés fut accepté parce qu'il imitait un style déjà en vogue à Paris. L'influence de l'Italie s'y manifesta durant la deuxième moitié du XIV$^e$ siècle. A la fin de ce siècle (comme en Bohême) les perspectives architecturales compliquées, les détails illusionnistes et les lourds visages modelés étaient devenus courants et stylistiquement acceptables.

Réduits aux dimensions d'une enluminure, la plupart des détails de ce moment artistique nous échappent. Le portrait de profil de Jean Le Bon (Jean II) marque une date. Si l'on admet que ce por- 172 trait fut réalisé de son vivant (il mourut en 1364) et qu'il est représentatif d'une forme d'art parisien de dimensions plus considérables que celles de l'enluminure, il nous faut supposer que se développa à Paris un équivalent contemporain de l'art de Prague.

Les œuvres parisiennes de style comparable sont plus tardives. Elles comprennent une miniature illustrant La présentation de la Bible de Jean Vaudetar (1372) : le roi de France Charles V y trône 182

172 Jean le Bon.
Avant
1364 ?

lourdement dans un espace clairement délimité par un sol dallé et un baldaquin. Les seules œuvres de grandes dimensions qui ont survécu sont deux tapisseries actuellement à Angers et New York (Cloisters Museum). On peut dater de 1375-1381 les tapisseries de l'Apocalypse d'Angers ; celles de New York consacrées aux Neuf Héros sont sans doute plus tardives. Elles doivent leur intérêt à la complexité de leurs constructions architecturales ordonnées selon une perspective raisonnablement convaincante. Autre œuvre datable du même style : le revêtement d'autel en grisaille intitulé le Parement de Narbonne. Il fut exécuté pour Charles V peu avant 1377. Les personnages sont élégants et effacés, avec des visages très expressifs aux traits fortement affirmés. Dans la scène de la Flagellation ils évoluent dans un cadre architectural. Le style du Parement influença celui des premières miniatures d'un livre d'heures : le célèbre Très Belles Heures du duc de Berry, propriété de ce dernier.

On rattache à cette tradition les peintures de Broederlam, réalisées en 1390 à l'intention du duc de Bourgogne et conservées à

173 Tapisserie d'Angers. Scène de l'Apocalypse destinée à Louis Ier, duc d'Anjou, 1375-1381.

174 Parement de Narbonne. Crucifixion. Peu avant 1377.

Dijon. On y trouve aussi des architectures, des paysages et des visages très expressifs d'inspiration italienne (voir *L'Art de la Renaissance*, de Peter et Linda Murray).

La mode parisienne semble avoir influencé l'empereur Charles dans d'autres domaines. La grande salle de Karlstein comportait un cycle de fresques représentant des personnages de sa dynastie. Les rois de France avaient constitué un cycle comparable dans la grande salle du Louvre sous forme non pas de fresques mais de sculptures. On peut ajouter qu'à la fin du XIVᵉ siècle (1393-1398), Richard II d'Angleterre commanda une série de sculptures similaires pour décorer l'intérieur de la nouvelle salle du palais de Westminster. Ainsi se répandaient les modes décoratives.

L'enluminure parisienne exerça dans un premier temps une influence perceptible sur les manuscrits de Bohême. Nombre de ces manuscrits furent éxécutés pour l'entourage immédiat de Charles. Le premier est sans doute le *Liber Viaticus*, un bréviaire portable 175 réalisé avant 1364 pour le chancelier de Charles, Johann von

is ꝓterea benedixit te deus in eternum ꝓ Eruc
tauit ꝟ Tanꝗ ſponſ dñs ꝓcedēs de thã Lc ꝓ
rimo tpe
alleuiata
eſt terra
zabulon:
z tra nep
talym Et
nouiſſio
aggrauata
euia ma
ris trãſyor
danem galylee gentium Ppłs gentiū
qui ambulabat in tenebris: uidit lucē
magnam Habitantibz ĩ regione um
bre mortis: lux orta eſt eis Multiplica
ſti gentem: nõ magnificaſti leticiam
Letabuntur coram te ſicut qui letantur
in meſſe: ſicut exultant uictores capta
preda ſua qn diuidunt ſpolia Iugum
enim oneris eius z uirgã humeri eius
z ſceptrē exactoris eius ſuperaſti: ſicut
ĩ die madyan quia omnis uiolenta

Neumarkt (Jan de Streda). Les miniatures en sont très proches de la Madone de Glatz et des panneaux de Hohenfurth, comme eux très inspirés par l'art italien. Ceci s'applique également aux décorations marginales où les feuilles de lierre anguleuses du style parisien de la même époque sont remplacées par des feuilles d'acanthe. Pourtant ce livre ne fut certainement pas l'œuvre d'un copiste formé en Italie ; et l'esthétique de sa mise en page semble plus parisienne qu'italienne. Souvent les manuscrits italiens avaient une mise en page irrégulière. Le texte était parfois entouré de guirlandes de feuilles d'acanthe et les illustrations, parfois réduites aux initiales, étaient capricieusement dispersées dans les marges. Comparé à presque n'importe quel manuscrit italien, le *Liber Viaticus* frappe par la maîtrise et la sobriété de sa décoration ; si bien qu'en dépit des différences de détail, la comparaison avec le bréviaire de Belleville n'est 98 pas déplacée. Précisons que la sobriété du *Liber Viaticus* n'est pas caractéristique de l'enluminure de Bohême. Surtout dans les livres commandés par Wenceslas, fils de Charles IV, les feuilles d'acanthe, les armoiries, les devises personnelles, les animaux, les monstres et autres formes décoratives ont tendance à déferler en tout sens autour du texte. Une débauche de détails convainc le lecteur qu'il s'agit d'un manuscrit de luxe. Cette profusion, qui souligne l'aspect élaboré des feuilles d'acanthe, rend les manuscrits de la cour de 188 Bohême facilement reconnaissables. A plus grande échelle, la peinture de Bohême possède également des caractéristiques autonomes. Les parties d'un retable qui venait de Wittingau (Trebon) et date sans doute des années 1380, peuvent être classées dans la même catégorie que les décorations de Karlstein. On en dira autant d'une réalisation plus ambitieuse comme le cycle des peintures du monastère Emmaus de Prague. Les personnages de Wittingau, même s'ils ont gardé le lourd modelé de la tradition de Bohême, sont plus gracieux et allongés. Les draperies retombent en plis amples et les visages – surtout ceux des personnages féminins – ont une douceur inhabituelle. Dans le retable de Wittingau et les peintures qui lui 176 étaient associées pointe ce qu'on a appelé le « style suave », qui se

175 *Liber Viaticus,* bréviaire portable de Johann Von Neumarkt. Détail. Avant 1364.

répandit jusqu'à Hambourg, à Cologne et en Rhénanie. En Bohême même, la tradition changea aux alentours de 1400, pour produire le style plus maniéré de la Madone de Saint-Vitus. Ce style fut repris par les sculpteurs et on le retrouve dans la Madone de Krumau (Krumlov) et des œuvres similaires. Nous avons déjà traité en partie l'histoire de la peinture française du XIV$^e$ siècle. L'importance des idées italiennes continua de s'affirmer avec les expérimentations du début du XV$^e$ siècle dans le domaine du paysage, l'introduction des architectures peintes et (surtout dans l'œuvre des frères Limbourg) le transfert dans l'enluminure de compositions empruntées aux fresques. L'introduction des feuilles d'acanthe italiennes dans les marges traditionnellement ornées de lierre constitua une innovation significative. Un enlumineur italien, Zebo da Firenze, avait émigré en France et, semble-t-il, travaillé à Paris durant les premières

189 années du XV$^e$ siècle. A son plus exubérant, il engloutit le texte dans une masse de feuilles d'acanthe où s'ébattent des nuées de chérubins. Ses tableaux narratifs ne sont pas toujours contenus dans leur surface (comparer avec ill. 183) et débordent dans les marges à la manière transalpine. On retrouve l'influence italienne dans l'apparence incontestablement tridimensionnelle de la décoration intérieure de nombreux édifices séculiers. Nous avons déjà attiré l'attention sur cet aspect à propos des tapisseries de l'Apocalypse d'Angers.

167, 168 Le château de Karlstein nous en a apporté un autre exemple. On trouve d'autres vestiges importants de peintures d'intérieur (v. 1340) à Avignon, au palais des Papes. Là, des paysages plutôt plats

177 alternent avec des effets agréables de trompe-l'œil. Dans cette perspective, on est autorisé à évoquer d'autres exemples en Italie, puisqu'un édifice tel que le Palazzo Davanzati à Florence contient nombre d'éléments qui n'auraient pas été déplacés dans un palais du

178 Nord. Dans une chambre (v. 1395) la mer est figurée jusqu'en haut d'une loggia de jardin peuplée de personnages tirés d'un roman français. Le reste de l'espace est copieusement rempli de cottes de maille et d'objets personnels.

En Angleterre, une œuvre de grandes dimensions a survécu.

176 Maître de Wittingau. La mise au tombeau. Années 1380 ?

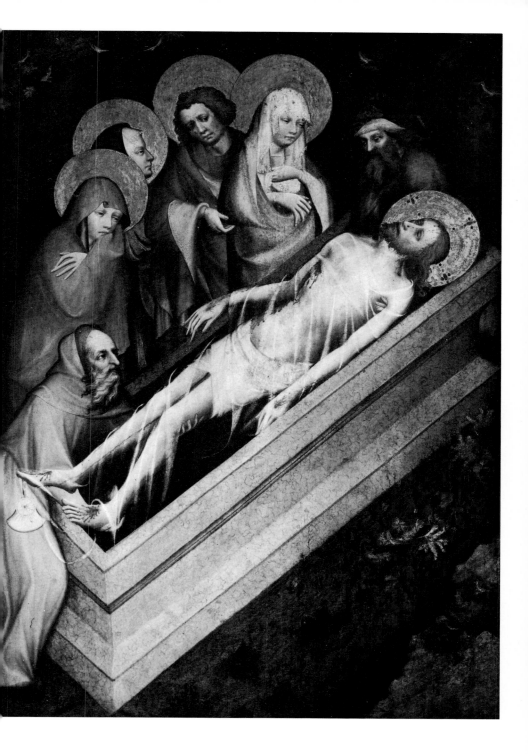

Datant de la deuxième moitié du siècle, elle affiche une exubérance tout italienne. Les œuvres les plus importantes dont quelques fragments aient subsisté sont celles qui furent remises à Édouard III à Westminster. Au milieu du siècle, on inclut dans la nouvelle décoration de la chapelle St. Stephen une série de peintures sur les murs situés à l'est. L'influence italienne y est évidente dans le traitement de l'espace et le modelé des visages. Ces fragments sont maintenant à la British Library. Les dessins exécutés avant la destruction de ces fresques montrent que le mur du retable comportait un portrait expressif d'Édouard III et de sa famille alignés à genoux sous une voûte et un édifice couvert de tuiles. Les scènes des murs latéraux, de petites dimensions, étaient arrangées en files verticales et horizontales assez régulières, à l'italienne, contrairement à celles qui se trouvaient juste à côté dans la Chambre peinte. Italiens également les fragments conservés dans les baies orientales de la salle capitulaire 179 de l'abbaye de Westminster. Il s'agit de têtes d'anges peintes vers

177 *(A gauche)* Décoration du salon de la tour des Anges. Palais d'Avignon, v. 1340.
178 *(A droite)* Palazzo Davanzati, Florence, v. 1395. Chambre à coucher.

179 Abbaye de Westminster, Londres, v. 1370. Détail : anges de la salle capitulaire.

1370. Quoi qu'il en soit cette influence semble avoir reculé puisque l'Apocalypse des dernières fresques de la salle capitulaire est plus proche de l'art de l'Empire. On a pu la comparer à des peintures des vingt dernières années du siècle qui se trouvent à Hambourg.

En général, les influences qui traversent la peinture anglaise de la dernière partie du siècle sont loin d'être claires. Compte tenu du fait que l'épouse de Richard II, Anne, fille de Charles IV, était originaire de Bohême, on peut se demander si certains aspects de l'art bohémien ne furent pas transplantés en Angleterre. Le grand portrait de Richard II assis (v. 1395), actuellement à l'abbaye de Westminster, 181 peut bien en être la preuve. Le modelé du visage renvoie à certains portraits de Karlstein. Le style du drapé et l'allure de l'ensemble se retrouvent dans le Charles IV du cycle dynastique de Karlstein (gravures). Les parallèles peuvent être également établis avec certains personnages assis du cloître du monastère d'Emmaüs. Mais le caractère unique de ce portrait interdit toute comparaison.

L'enluminure anglaise de cette période ne possède pas le ferme modelé des grandes œuvres. Il existe un nombre important de

180 *(A gauche)* Extrait du livre d'heures destiné à la famille Bohun, v. 1380.

181 *(Page de droite)* Abbaye de Westminster, Londres, portrait de Richard II, v. 1395.

manuscrits, dont un ensemble produit entre 1370 et 1390, sans
180   doute à Londres, pour les membres de la famille Bohun, un missel
destiné à l'abbé Lytlington de l'abbaye de Westminster en 1383-
1384 et une partie d'un missel destiné à la communauté carmélite
181, 184   de Londres vers 1395. Ces manuscrits comportent diverses innovations dans la décoration des marges et empruntent à l'Italie certaines
compositions de personnages. Mais avec leurs yeux semblables à de
petites perles noires, les personnages ont l'air gauche et informe
malgré le raffinement de la composition. L'enlumineur du missel
des Carmélites fit un usage excessif de feuilles d'acanthe pour la

240

182 Frontispice de la bible de Jean de Vaudetar, 1372.

décoration des initiales. Ce détail marque un changement de mode. Les panaches de feuilles d'acanthe sont utilisés comme dans les manuscrits bohémiens et s'enroulent parfois en spirale. Autre procédé emprunté à la peinture bohémienne, les majuscules sont emplies de figurines ou de têtes d'anges : on le retrouve dans l'œuvre d'un des plus grands artistes de missels, qui opéra un changement radical dans la *narratio* et certaines figures de style. Les personnages, fermes et arrondis, sont placés dans un espace clairement défini. L'artiste avait-il étudié dans les Flandres et aux Pays-Bas ? Il semble que l'art anglais, une fois de plus, fut en contact avec l'art de l'Empire.

184

Pour la sculpture, l'histoire est beaucoup plus fragmentaire ; on s'accorde à penser que l'œuvre de Klaus Sluter destinée au duc de

183 Page des Très Belles Heures du duc de Berry, v. 1380-1390.

184 Missel carmélite. Initiale, v. 1395.

Bourgogne marque en un certain sens un changement stylistique.

La plupart des sculptures purement décoratives du XIVe siècle sont une réussite du genre. On les retrouve sur presque tous les monuments royaux où les sculptures d'appoint sont restées intactes. Une œuvre telle que le retable de Jacques de Baerze (frontispice) sculpté, comme les principaux ouvrages de Sluter, pour la chartreuse de Champmol, mêle la splendeur à une extrême joliesse manifestement conçue pour plaire. Les principales innovations de Sluter reposent sur l'intensité émotive dont sont empreints les personnages. Mais cette tendance à l'effet dramatique n'enleva rien à l'enracinement de l'œuvre de Sluter dans la tradition. Le mausolée de Philippe le Hardi comportait des arcades complexes comme le tombeau de Philippa de Hainaut (abbaye de Westminster), œuvre d'un sculpteur flamand, Jean de Liège. Les silhouettes endeuillées et encapuchonnées

185

185 Claus Sluter. Tombeau de Philippe le Hardi, duc de Bourgogne († 1404). Commencé v. 1390, inachevé à la mort de Sluter (1406).

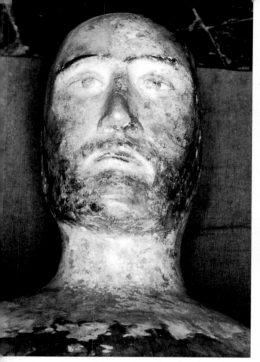

186-187 Abbaye de Westminster, Londres. Deux portraits du XIVᵉ siècle. *(A gauche)* Détail de l'effigie en bois destinée aux funérailles d'Édouard III († 1377), probablement d'après un moulage mortuaire. *(A droite)* Effigie de marbre représentant Philippa de Hainaut par Jean de Liège, v. 1365-1367. La tête légèrement gonflée, le cou trapu et le double menton suggèrent que l'artiste travailla d'après un masque réalisé sur le vif.

qui entourent le tombeau de Simon de Gonçans († 1325) et de Thomas de Savoie († 1332 ou 1335-1336) dans la cathédrale d'Amiens, préfigurent la silhouette endeuillée des célèbres chartreux. La profondeur psychologique des traits de Philippe ressortait déjà dans l'effigie de du Guesclin commandée par Charles V, dans celle de Charles V lui-même et dans les modestes effigies de bois d'Edouard III d'Angleterre († 1377). Ce masque d'Edouard III 186 avait été sculpté, dit-on, à partir d'un moulage funéraire. A l'époque de la mort de Charles VI en France (1422), on mentionne l'habitude prise par les sculpteurs de travailler à partir de moulages mortuaires.

Dans l'architecture du Nord, on recense alors peu d'événements marquants. On commença, nous l'avons déjà vu, l'édification de la grande cathédrale de Prague. Autre construction, le chœur de la

188 Page de titre d'une copie officielle de la bulle d'Or impériale de 1356. Exécutée à Prague, v. 1390, à l'intention de l'empereur Wenzel.

189 Première page du Livre d'heures de la Vierge. Extrait d'un livre d'Heures parisien attribué à Zebo da Firenze, v. 1405-1410.

191 Saint-Sebald, Nuremberg. Extérieur vu du sud-est, 1361-1379.

cathédrale d'Aix-la-Chapelle, qui apparut comme une reproduction
de la Sainte-Chapelle.                                                    171

On continua à construire dans l'Empire, à plus petite échelle, des
églises intéressantes : on retrouve la même architecture dans le
chœur est de Saint-Sebald, à Nuremberg (1361-1379). L'influence   190
de la Sainte-Chapelle s'y fait sentir même si le chœur de Saint-
Sebald possède trois bas-côtés. Dans l'Empire comme en France,
l'invention architecturale était sur le déclin et c'est au siècle suivant
que les voûtes à réseau se répandirent de manière spectaculaire ;
seule l'Angleterre inventa un nouveau style de voûte : la voûte en
éventail évoquée plus haut (p. 106). Bien que nous sachions que la

190 Saint-Sebald, Nuremberg. Chœur, vue vers l'est, 1361-1379.          249

192 Cathédrale de Glou-
cester. Cloître. Av.
1377-1412.

salle capitulaire de Hereford avait une voûte de ce type (1360-
1370), le premier exemple dont il reste des traces se trouve dans le
192 cloître de la cathédrale de Gloucester (commencée av. 1377). C'est
le prolongement logique de la décoration en réseaux de pierre
sculptés. Mais il s'écoula près d'un siècle avant qu'on ne construise
des voûtes en éventail de grandes dimensions. La nef de la cathédrale
de Canterbury, édifice « perpendiculaire » remarquablement équili-
bré et dernière grande construction du XIV^e siècle (elle fut reprise

en 1374), est encore surmontée d'une voûte à liernes très complexe.

Ce qui sans doute caractérise le mieux cette période est l'utilisation faite par des clients séculiers des perfectionnements décoratifs de l'architecture religieuse. En effet, les panneaux de dentelle de pierre et des éléments tels que les flèches ajourées construites à Fribourg ou prévues pour Cologne et Strasbourg, remportèrent un vif succès et on s'en inspira pour embellir des palais séculiers, comme ceux du duc de Berry. Sa résidence (dont il ne reste rien) se trouvait à Mehun-sur-Yèvres. Nous en avons gardé une trace grâce à la peinture des frères Limbourg. Son édification avait commencé peu après 1367 et le palais fut couronné de tours polygonales de dentelle de

193

193 Château de Mehun-sur-Yèvre. Les Très Riches Heures du duc de Berry.

194 Palais de Justice de Poitiers. Cheminée monumentale de la Grande Salle, 1384-1386.

pierre. Cette vogue s'amplifia au siècle suivant, comme en témoigne l'unique tourelle du palais Jacques Cœur à Bourges, où l'on retrouve l'influence de Mehun-sur-Yèvres. Ici s'annonce déjà l'architecture féérique de Chambord. La Grande Salle du palais du duc de Berry a conservé un autre élément de cette mode décorative : une cheminée gigantesque, surmontée d'un panneau vitré de dentelle de pierre très élaboré, agrémenté de sculptures (1384-1386).

194
195

Un élément architectural majeur a aujourd'hui disparu (bien que son influence soit perceptible au xve siècle) ; il s'agit de l'escalier monumental du palais royal du Louvre. C'était un grand escalier circulaire percé de fenêtres et orné à l'extérieur de statues de la famille royale (1363-1366). Certains pensent que les escaliers de la chapelle de Henri V à l'abbaye de Westminster sont la réplique de ce célèbre ouvrage. Il est certainement à l'origine de la longue

252

tradition des escaliers monumentaux des châteaux français telle qu'elle se manifeste, au XVI$^e$ siècle, à Blois.

En Italie, le milieu du siècle vit naître peu de nouveaux édifices. On se contenta d'achever la construction de quelques grandes églises. Celle de la cathédrale de Florence se poursuivit suivant des plans dessinés en 1357. Il est cependant vraisemblable que l'ensemble correspond bien au projet imaginé par Arnolfo di Cambio. La cathédrale ressemble aux grandes églises italiennes à deux étages et grande arcade décrites précédemment. La particularité régionale réside dans le style de la façade extérieure en marbre coloré. Le dôme, déjà dessiné par Arnolfo, était sans doute inspiré de Pise et de Sienne. On sait que Brunelleschi le termina au siècle suivant.

195 Jeanne de Bourbon. Détail de la cheminée (*page de gauche*), 1384-1386.

On poursuivit également la construction de la cathédrale de
Sienne. Le plan d'agrandissement du côté sud fut abandonné en
1357. On s'employa alors à parfaire l'édifice existant. La cathédrale
de Sienne a deux façades, l'une à l'est, l'autre à l'ouest, puisque le
baptistère se situe au-dessous du chœur et l'entrée à l'est. La façade
197 orientale ne fut jamais terminée mais un croquis en donne une idée.
L'influence d'Orvieto est évidente ; non seulement le gâble supérieur

197 Élévation sur parchemin de la façade du baptistère de Sienne. Av. 1382.

devait s'orner d'une mosaïque, mais l'horizontalité prédomine dans la structure de la décoration. Quelques aspects, néanmoins, révèlent une influence plus marquée provenant du Nord de l'Europe. L'ensemble de l'édifice est dominé par une rosace que sa simplicité rapproche de la rose de la Sainte-Chapelle. La profusion de colonnes, gâbles, pinacles et arcades est frappante. Le toit du bas-côté gauche est surmonté d'une crête de pinacles et de gâbles qui rappellent beaucoup la cathédrale de Milan. Cette façade représente donc une avancée vers l'architecture milanaise, tout en empruntant les éléments décoratifs de l'extrémité ouest de la cathédrale de Strasbourg.

Si la décoration sculptée de cette façade avait été réalisée, la démarche aurait été intéressante, car on y retrouve les mêmes idées qu'au nord des Alpes. Au même niveau que la rosace, derrière une balustrade, se dressent l'Ange et la Vierge de l'Annonciation. On songe aussitôt au transept sud de l'église Sainte-Marie, à Mulhouse (v. 1370), où un empereur et une impératrice nous font gravement signe derrière la balustrade qui surmonte le portail. Plus bas, une file d'anges tenant des manuscrits enroulés nous regarde du fond de niches profondes par-dessus des balustrades de dentelle de pierre. On songe inévitablement au palais Jacques Cœur de Bourges (v. 1440).

La nouvelle cathédrale de Milan fut commencée en 1387, à l'instigation de Giangaleazzo Visconti. Les difficultés rencontrées durant les premières années de la construction sont restées dans les annales. On finit par inviter des conseillers d'Europe du Nord à participer à l'élaboration de la structure. La cathédrale de Milan se distingue à bien des égards de son contexte italien. Avec ses doubles bas-côtés et une arcade très haute surmontée d'un clair-étage de moindre importance, elle se rattache à la tradition gothique née à Bourges. Des chapiteaux de ce type ne se retrouvent nulle part ailleurs. Pourtant des ensembles analogues de niches garnies de statues entourent les piliers de la nef de Saint-Étienne à Vienne (les plans datent peut-être de 1359). Près des piles de la Frauenkirche à Nuremberg on retrouve des chapiteaux sculptés de personnages qui ne disposent pas de niches. Ces chapiteaux milanais soulevèrent un certain nombre de problèmes mais il ne semble pas que les plans de la décoration extérieure aient jamais été sérieusement mis en question – fait d'autant

198

198 Cathédrale de Milan. Intérieur de la nef, commencée avant 1387.

plus intéressant que la plupart des éléments de cette décoration
s'inspirent de l'architecture rayonnante d'Europe du Nord. C'est là
que l'Italie se rapproche le plus de l'architecture rayonnante. L'Italie
du Nord est la plus riche en sculptures et en peintures significatives.
De nombreux objets d'art furent produits en Toscane, mais bien que
d'excellente facture, ils se rattachent presque toujours aux traditions
du demi-siècle précédent ; en ce qui concerne la sculpture, les
œuvres de Nino Pisano ne se signalent que par leur style. Il fut
le seul sculpteur toscan de cette époque à vouloir imiter la suave

199 Nino Pisano, Madone, v.
1360.

200 Cathédrale de Milan. Le chœur vu de l'extérieur. Commencé en 1387.

201 Bonino da Campione, monument de Bernabo Visconti († 1385). L'effigie date d'avant 1363. Le sarcophage est sans doute postérieur.

199 délicatesse des madones gothiques françaises (v. 1360). L'histoire de la sculpture en Italie du Nord au XIVᵉ siècle est jalonnée d'une série de splendides tombeaux. Le groupe le plus impressionnant fut érigé en l'honneur des membres de la famille Scaliger, seigneurs de Vérone. Les tombeaux s'inséraient dans la tradition des monuments de plein air, rajeunie par l'ajout de hauts gâbles, d'édicules et de pinacles. Le plus récent de ces monuments, érigé en l'honneur de
202 Cansignorio della Scala, est aussi le plus complexe (av. 1375). Le
201 tombeau équestre de Bernabo Visconti (av. 1363), seigneur de Milan,

semble avoir été initialement dressé sur le grand autel de San Giovanni à Conca. Le cavalier, jadis recouvert d'or et d'argent, porte un
bouclier et des éperons d'or. Ces accessoires, fréquents en Europe du
Nord, ont disparu. On ignore toujours comment ce groupe en vint à
occuper dans l'église un emplacement réservé d'habitude aux
reliques les plus prisées.

La construction de la cathédrale de Milan attira certainement
dans la cité des maçons d'Europe du Nord, ce qui stimula l'intérêt
du public pour le style septentrional. D'autant que les Visconti de
Milan étaient liés à la France à travers différents mariages ; Galeazzo

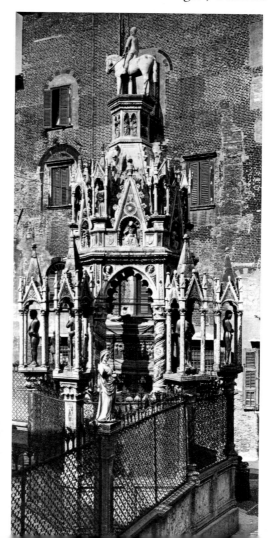

202 Bonino da Campione,
monument de Cansignorio
della Scala († 1375).

203 Le Miracle de Cana. Les Heures de Blanche de Savoie. Av. 1378.

Il Visconti avait épousé Blanche de Savoie, son fils Giangaleazzo Isabelle de Valois († 1372), et sa petite-fille Valentina épousa Louis, duc d'Orléans. On retrouve ces liens dans les livres réalisés pour la famille. Les livres d'heures, rares en Italie, se répandirent suivant une mode à l'évidence importée de Paris. Dans l'un de ces livres, exécuté avant 1378 pour Blanche de Savoie, le miniaturiste italien Giovanni Benedetto da Como a manifestement cherché à reproduire le style français. Les pages sont disposées avec une régularité et une uniformité rares dans un livre italien et l'artiste y présente sa propre version, un peu étriquée, du décor à feuilles de lierre hérissées

203

262

204 Michelino da Besozzo, copie enluminée de l'oraison funèbre de Giangaleazzo Visconti († 1402), 1403.

des livres parisiens. Les scènes représentées ne font toutefois aucune concession à la France et restent fidèles à la tradition picturale de la région. Cette retenue dut gêner et le mécène et l'artiste. En effet, dans le livre d'heures entrepris vers 1380 pour Giangaleazzo Visconti, l'artiste adopta une disposition différente pour la bordure de presque toutes les pages enluminées. La créativité qui s'y déploie est remarquable. Paradoxalement, l'artiste Giovanni de Grassi, sculpteur et dessinateur d'architecture, produisit un style de personnages qui se rapproche étonnamment de la peinture parisienne. Dra-

205

peries et visages sont très proches du style du Parement de Narbonne et des Très Riches Heures. Plusieurs pages des Heures de Visconti 183 sont ornées d'une bordure de fleurs naturaliste qui marque le commencement de la dernière étape de l'art de l'enluminure. La décoration des bordures n'est plus nourrie de motifs conventionnels. Elle représente des objets de manière réaliste. Cette transformation (reprise par les frères Limbourg) devait se retrouver un peu plus tard dans l'œuvre d'un artiste de cour, Michelino da Besozzo. Il semble avoir vécu jusqu'en 1450, et appartient au XV$^e$ siècle. Pourtant, dès 1403, il enlumina un exemplaire de luxe de l'éloge funèbre de Gian- 204 galeazzo Visconti avant d'entreprendre un petit ensemble de peintures et de manuscrits. Son style, extrêmement original, défie l'analyse, bien qu'il soit facile de reconnaître ses petits visages doux et roses. Sa peinture se rattache au style suave impérial mais on ignore toujours par quel biais cette influence lui fut transmise.

On rassemble les œuvres d'art des années proches de 1400 sous l'appellation un peu vague de « style gothique international ». On devine aisément la signification et les limites de cette terminologie. Les grands centres artistiques, en particulier ceux qui étaient implantés auprès d'une cour, partageaient un goût et des modes similaires. Dans l'ensemble s'opérait une synthèse entre un style de représentation né à Paris et une maîtrise de la forme issue d'Italie. Cela ne signifie pas qu'il devint impossible de distinguer l'art d'une région de celui d'une autre. On ne saurait confondre, par exemple, un manuscrit milanais avec un manuscrit de Bohême. Mais bien souvent, les œuvres produites pendant cette courte période ont des affinités identifiables. On assista à la rupture partielle – et ephémère – de la barrière des Alpes. Sous la poussée d'impulsions nouvelles le Nord et le Sud se séparèrent à nouveau. Ils ne devaient se réunir qu'aux XVI$^e$ et XVII$^e$ siècles sous la poussée unificatrice du classicisme italien.

# Chronologie

## Histoire

| | | | | |
|---|---|---|---|---|
| 1100 | | Henri Ier d'Angleterre (1100-1135) | | Fondation de l'ordre des cisterciens |
| | Pape Calixte II (1119-1124) | | | |
| | | Guerre civile en Angleterre | | Apologie de saint Bernard |
| | Conrad III, premier empereur Hohenstaufen (1138-1152) | | | |
| 1150 | Frédéric Ier (Barberousse) (1152-1190) | | | Abbé Suger, chancelier de France |
| | Pape Alexandre III (1159-1181) | Henri II d'Angleterre (1154-1189) | | Deuxième Croisade |
| | | | | Meurtre de Thomas Becket |
| | Henri VI, empereur (1190-1197) | Richard Ier d'Angleterre (1189-1199) | | Troisième Croisade |
| 1200 | Pape Innocent III (1198-1216) | Jean d'Angleterre (1199-1216) | | Quatrième Croisade |
| | Otto IV, empereur (1198-1215) | | *Magna Carta* | Cinquième Croisade |
| | Frédéric II, *stupor mundi* (1215-1250) | Henri III d'Angleterre (1216-1272) | Gengis Khan | Fondation de l'ordre des Franciscains et des Dominicains |
| | Pape Grégoire IX (1227-1241) | Louis IX de France (saint Louis) (1226-1270) | | |
| 1250 | Pape Innocent IV (1243-1254) | | | |
| | Pape Clément IV (1265-1268) | | | |
| | Pape Grégoire X (1271-1276) | | | Saint Thomas d'Aquin |
| | Rudolf de Habsbourg (1273-1291) | Édouard Ier d'Angleterre (1272-1307) | | Roger Bacon |
| | | | | Marco Polo en Chine |
| | Pape Nicolas IV (1288-1292) | | | Roman de la Rose |
| | Pape Boniface VIII (1294-1303) | | | Dante |
| 1300 | Henri VII, empereur (1308-1313) | Édouard II d'Angleterre (1307-1327) | | Robert d'Anjou, roi de Naples |
| | Louis IV, empereur (1314-1347) | | | Guillaume d'Occam |
| | Papes en Avignon (1309-1377) | Édouard III d'Angleterre (1327-1377) | | Début de la guerre de Cent Ans |
| | | | | Bataille de Crécy |
| | Charles IV, empereur (1347-1378) | Mort du Prince Noir (1330-1376) | Pétrarque | Peste Noire |
| | | | | Bataille de Poitiers |
| 1350 | | Venceslas IV de Bohême (1363-1419) | | |
| | Pape Grégoire XI (1370-1378) | Charles V de France (1364-1380) | Jean, duc de Berry | Pierre le Laboureur |
| | Pape Urbain VI (1378-1389) | Richard II d'Angleterre (1377-1399) | | Boccace |
| | | | | Contes de Canterbury (Chaucer) |
| | Grand Schisme (1370-1415) | Charles VI de France (1380-1422) | | |
| 1400 | Pape Grégoire XII (1406-1415) | Henri IV d'Angleterre (1399-1415) | | Giangaleazzo Visconti |
| | Pape Martin V (1417-1431) | Henri V d'Angleterre (1413-1422) | | Bataille d'Azincourt |
| | Pape Eugène IV (1431-1447) | Henri VI d'Angleterre (1422-1461) | | Jean Huss au bûcher |
| 1450 | Pape Nicolas V (1447-1455) | Guerre des Deux Roses | | Concile de Florence |

# Art et architecture

1100

Saint-Denis (narthex et extrémité est)
Noyon (début de la construction)

Chartres (statues façade ouest)

1150   Notre-Dame, Paris (début de la
construction)
León (début de la construction)
Canterbury (reconstr. extrémité est)

Nicolas de Verdun

Laon (façade ouest)      Bourges (début de
la construction)

1200   Chartres (reconstr. après incendie)    Wells (nef)     Chartres (statues transept)    Psautier de Munich
Reims (début de la construction)                       Sculptures d'Amiens et de Reims   Psautier de la reine Ingeborg
Salisbury, Amiens et Tolède (début)                     Wells (statues façade ouest)    Villard de Honnecourt
Strasbourg (nef)              Lincoln (nef)     Antelami de Parme            Psautier de Blanche de Castille

1250   Sainte-Chapelle (Paris)       Cologne (début de   Naumburg (sculptures)     Matthew Paris
la construction)
Saint-Urbain, Troyes          Westminster    Tombe de Louis de France    Psautier de Saint Louis
Nicola Pisano             Douce Apocalypse
Strasbourg (façade ouest)                                       Maître Honoré
Exeter (nef)                      Arnolfo di Cambio     Cimabue
Orvieto (début)
Fondation cathédrale Florence            Portada del Virgen Blanca, León
York (nef)                      Strasbourg (portail ouest)    Maître de Saint-François, Assise
1300   Orvieto (façade ouest)                Giovanni Pisano      Giotto     Duccio
Tombe d'Édouard II      Simone Martini
Gloucester (chœur remanié)            Andrea Pisano       Frères Lorenzetti
Chœur d'Aix-la-Chapelle                                          Jean Pucelle
Prague (début)                  Monument de Robert de Naples

1350   Nuremberg (début de la construction
de Saint-Sébald)                                         Tapisseries d'Angers
Cloître de Gloucester (début de la
construction)                                          Parement de Narbonne
Milan (début de la construction)                             Très Belles Heures

1400

Claus Sluter

Très Riches Heures

1450

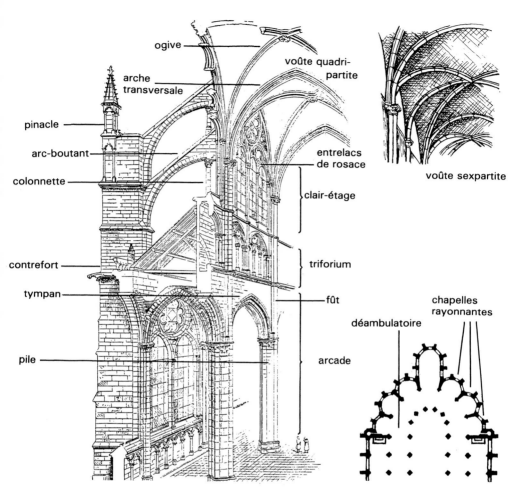

ogive
arche transversale
voûte quadri-partite
pinacle
arc-boutant
colonnette
entrelacs de rosace
clair-étage
voûte sexpartite
contrefort
triforium
tympan
fût
chapelles rayonnantes
déambulatoire
pile
arcade

## Glossaire

**Ambon** Petite tribune à l'entrée du chœur.

**Abside** Partie d'édifice en forme de demi-cercle. Voir *ill. 25*.

**Diapré** Décoration qui répète des formes géométriques limitées par des droites : losanges, triangles, etc.

**Ébrasement** Meurtrière de rempart, fenêtre à ouverture évasée.

**Église-halle** (Basilique) Église dont la nef et les bas-côtés sont à peu près de la même hauteur, donc sans triforium ni clair-étage.

**Galerie de tribune** Galerie située au-dessus des bas-côtés, ouverte sur la nef.

**Lierne** Courte nervure réunissant deux nervures principales. Voir *ill. 77*.

**Nervure d'arête** Nervure longitudinale au faîte d'une voûte, donc aussi longue que la voûte. Voir *ill. 17*.

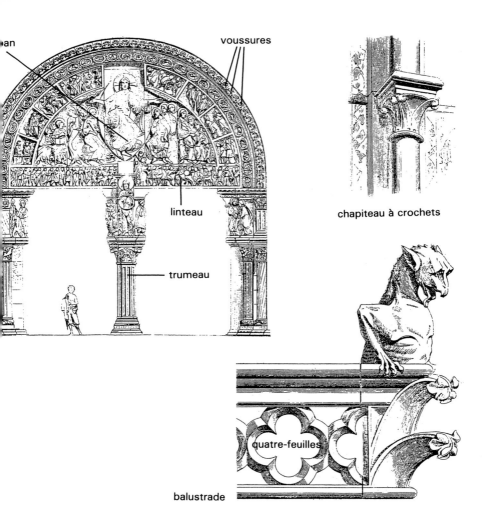

an

voussures

linteau

trumeau

chapiteau à crochets

quatre-feuilles

balustrade

**Oculus** Fenêtre ronde ou œil-de-bœuf.
**Pli humide** Style de draperie à plis droits et peu profonds collant au corps comme un tissu mouillé. Voir p. 69.
**Prédelle** Rangée de vignettes à la base d'un grand retable. Voir *ill. 150.*
**Rayonnant** Période architecturale du gothique français. Voir chapitre II.
**Statue-colonne** Statue de portail appuyée contre un pilier ou le remplaçant.
**Tierceron** Nervure ni transversale ni diagonale mais qui atteint la clef de voûte. Voir *ill. 75.*
**Voûte en filet** Voûte constituée d'un entrecroisement de nervures formant filet. Voir *ill. 163.*
**Voûte en éventail** Voûte dans laquelle des nervures de longueurs et de courbures égales jaillissent du même point, formant un demi-cône renversé ; caractérise le style perpendiculaire anglais. Voir *ill. 192.*

269

# Bibliographie

Cette bibliographie devrait permettre au non-spécialiste d'accéder à de plus amples informations et de consulter d'autres illustrations : nombreux sont les ouvrages qui remplissent heureusement ces deux fonctions. Par souci de brièveté, nous avons omis les monographies consacrées aux artistes, monuments ou édifices évoqués dans notre étude et éliminé les articles de revues. La plupart des livres ci-dessous disposent d'une bibliographie où ces éléments figurent. Les livres sont classés par sujets.

## Ouvrages généraux

Antal, F. *Florence et ses peintres,* Brionne, 1991

*Ars Hispaniae,* vols VII, VIII et IX, Madrid 1952, 1956 et s.d.

*L'Art gothique à Sienne,* catalogue d'exposition, Avignon, 1983

Boase, T.S.R. *English Art 1100-1216,* Oxford, 1953

Brieger, P. *English Art 1216-1307,* Oxford, 1957

Dehio, G. *Geschichte der deutschen Kunst,* vols I et II, 4ᵉ édition, Berlin et Leipzig, 1930

Erlande-Brandenburg, A. *L'Art gothique,* Paris, 1983.

Evans, J. *Art in Medieval France,* Oxford, 1948

Evans, J. *English Art 1307-1461,* Oxford, 1949

Male, E. *The Gothic Image,* Londres, 1961

*Roma. Anno 1300,* Rome, 1983

*Storia dell'Arte Italiana,* 1ᵉʳᵉ partie (Previtali, G. dir.), vol. I à IV, Turin, 1976-1982 ; 2ᵉ partie (Zeri, F. dir.), vol. I : « Dal Medioevo al Quattrocento », Turin, 1983

White, J. *Italian art and architecture, 1250-1400,* Londres, 1966

## Architecture

Aubert, M. *L'Architecture cistercienne en France,* Paris, 1947

Baum, J. et Schmidt-Glassner, H. *German Cathedrals,* Londres, 1956

Bony, J. et Hurlimann, M. *French Cathedrals,* Londres, 1961

Branner, R. *St Louis and the Court Style,* Londres, 1965

Braunfels, W. *Mittelalterliche Stadtbaukunst in der Toskana,* Berlin, 1953, 3ᵉ éd. 1966

Frankl, P. *Gothic architecture,* Londres, 1962

Gall, E. *Dome und Kloster-kirchen am Rhein,* Munich, 1956

Gall, E. *Gotische Baukunst, Part I,* Brunswick, 1955

Goldthwaite, R.A. *The Building of Renaissance Florence. An economic and social History,* Baltimore, 1980

Kidson, P., Murray, P., Thompson, P. *A History of English Architecture,* Londres, 1965

Lasteyrie, R. de. *L'Architecture religieuse en France, II (Époque Gothique),* Paris, 1926-1927

Longhi, L.F. de. *L'Architettura delle Chiese Cisterciensi Italiane,* Milan, 1958

Wagner-Rieger, R. *Die Italienische Baukunst zu Beginn der Gotik,* Graz-Cologne, 1956

Webb, G. *Architecture in Britain. The Middle Ages,* Londres, 1956

## Peinture

Boeckler, A. *Deutsche Buchmalerei, Vorgotische Zeit,* Köningstein im Taurus, 1959

Boskovits, M. *Pittura fiorentina alla vigilia del Rinascimento 1370-1400,* Florence, 1975

Borsook, E. *The Mural Painters of Tuscany,* Londres, 1960, 2ᵉ éd. Oxford, 1980

Cämmerer-George, M. *Die Rahmung der Toskanischen Altarbilder im Trecento,* Strasbourg, 1966

Castelfranchi Vegas, L. *Internationale Gothic Art in Italy,* Leipzig, 1966

Cecchi, E. *Trecentisti Senesi,* Milan, s.d.

Dvorakova, V. *et al. Gothic Mural Painting in Bohemia and Moravia (1300-1378),* Londres, 1964

Fossi Todorow, M. *L'Italia dalle origini a Pisanello (I Disegni dei Maestri),* Milan, 1970

Fremantle, R. *Florentine Gothic Painters,* Londres, 1975

Malejcek, A., Pesina, J. *Gothic Painting in Bohemia 1350-1450,* Prague, 1955

Marchini, G. *Le Vetrate Italiane,* Milan, 1955

Meiss, M. *The Great Age of Fresco : Discoveries, Recoveries, and Survivals,* New York, 1970

Meiss, M. *Painting in Florence and Siena after the Black Death,* Princeton, 1951

Millar, E.G. *English Illuminated Manuscripts from the Xth to the XIIIth centuries,* Paris et Bruxelles, 1926

Millar, E.G. *English Illuminated Manuscripts of the XIVth and XVth centuries,* Paris et Bruxelles, 1928

*La Miniatura Italiana in età romanica e gotica,* Florence, 1979

Os, H.W. van Asperen de Boer, J.R.J., eds, Bologne, 1983

Os, W.H. van. *Sienese Altarpieces 1215-1460, Form, Content, Function ;* vol. I : 1215-1344 ; vol. II : 1344-1460, Groningue, 1984 et 1987

Pächt, O. *Étude sur l'apparition du paysage dans la peinture italienne,* Brionne, 1991

*La Pittura nel XIV e nel XV secolo. Il contributo dell'analisi tecnica alla storia dell'arte*

Porcher, J. *French Miniatures from Illuminated Manuscripts,* Londres, 1960

Preiser, P. *Das Entstehen und die Entwicklung der Predella in der Italienischen Malerei,* Hildesheim et New York, 1973

Rickert, M. *Painting in Britain. The Middle Ages,* Londres, 1966

Salmi, M. *Italian Miniatures,* Londres, 1957

Saunders, O.E. *English Illumination*, Florence et Paris, 1928

Stange, A. *Deutsche Gotische Malerei 1300-1400*, Köningstein im Taurus, 1964

Stange, A. *Deutsche Malerei der Gotik I and II*, Berlin, 1934 et 1936

Swarzenski, H. Deutsche Buchmalerei des 13. Jahrhunderts, Berlin, 1936

Toesca, P. *Il Trecento*, Turin, 1951

Vitzhum, G. *Die Pariser Miniaturmalerei*, Leipzig, 1907

White, J. *Naissance et Renaissance de l'espace pictural*, Paris, 1992

Zeri, F. *Renaissance et Pseudo-Renaissance*, Marseille, 1985

### Sculpture

Aubert, M. *La Sculpture française au Moyen Age*, Paris, 1946

Crichton, G.H. *Romanesque sculpture in Italy*, Londres, 1954

Gnudi, C. *L'Arte gotica in Francia e in Italia*, Turin, 1982

Hutton, E. *The Cosmati*, Londres, 1950

Panofsky, E. *Die deutsche Plastik des 11. bis 13. Jahrhunderts*, Florence-Leipzig, 1924

Pinder, W. *Die deutsche Plastik des 14. Jahrhunderts*, Florence-Leipzig, 1925

Pope-Hennessy, J. *Italian Gothic Sculpture*, Londres, 1955 ; 2ᵉ éd. Londres, 1972 ; 3ᵉ éd. Londres, 1985

Stone, L. *Sculpture in Britain. The Middle Ages*, Londres, 1955

Wolters, W. *La Sculptura veneziana gotica, 1300-1460*, Venise, 1976

La sélection ci-dessous se borne à indiquer, parmi les nombreuses sources imprimées, celles qui éclairent le mieux les formes prises par le mécénat au XIVᵉ siècle et au début du XVᵉ siècle ainsi que d'autres problèmes d'intérêt général.

Dehaisnes. *Documents et extraits divers concernant l'histoire de l'Art dans la Flandre, l'Artois et le Hainaut avant le XVᵉ siècle*, Lille, 1886

Delisle, L. *Recherches sur la librairie de Charles V*, Paris, 1907

Gilbert, C.E. *L'Arte del Quattrocento nelle testimonianze coeve*, Florence et Vienne, 1988

Guiffrey, J. *Inventaires de Jean Duc de Berry 1401-1416*, Paris, 1894 et 1896

Martindale, A. *The Rise of the Artist in the Middle Ages and Early Renaissance*, New York, 1972

Pellegrin, E. *La Bibliothèque des Visconti-Sforza au XVᵉ siècle*, CNRS, 1975

Warnke, M. *L'Artiste et la Cour. Aux origines de l'artiste moderne*, Paris, 1989

# Table des illustrations

Les mesures sont données en centimètres, la hauteur précédant la largeur.

*Frontispice* Détail de l'aile droite de l'autel de la chartreuse de Champmol près de Dijon. Ces sculptures, réalisées pour Philippe le Hardi par le Flamand Jacques de Baerze et dorées par Melchior Broederlam, représentent saint Antoine, sainte Marguerite, un saint royal, sainte Barbara et saint Judoc. 1391-1399. Musée de Dijon. Photo : Scala.

1 Détail du saint Louis qui orne le portail de la chapelle des Quinze-Vingts, Paris. On ne dispose d'aucun portrait de saint Louis (1226-1270) datant du XIII$^e$ siècle. Celui-ci date de près d'un siècle après sa mort, ce qui souligne l'importance de son règne. En fait, il s'agit du roi régnant, Charles V. Louvre, Paris. Photo : Giraudon.

2 Cathédrale de Laon. Intérieur vers l'est. Commencée vers 1165. Le chœur est sans doute postérieur à 1205. Photo : Martin Hürlimann.

3 Abbaye de Saint-Denis. Intérieur du déambulatoire du XIII$^e$ siècle, vers le sud-ouest, 1140-1144. On distingue le triforium rayonnant. Photo : Bildarchiv Foto Marburg.

4 Abbaye de Saint-Denis. Plan de l'actuelle basilique.

5 Cathédrale de Laon. Extérieur, vu du sud-ouest. 1190-1200. Photo : Jean Roubier.

6 Cathédrale de Laon. Plan. Commencée vers 1165. Le chœur est sans doute postérieur à 1205.

7 Cathédrale de Noyon. Plan. Commencée vers 1150.

8 Notre-Dame de Paris. Plan original, 1163.

9 Abbaye cistercienne de Fontenay. Intérieur vers l'est. Commencée en 1139, consacrée en 1147. Photo : Archives Photographiques.

10 Cathédrale de Poitiers. Intérieur vers l'est. Commencée en 1162, achevée au XIII$^e$ siècle. Photo : Bildarchiv Foto Marburg.

11 Cathédrale de Chartres. Intérieur du transept nord vers le nord-est. Premier quart du XIII$^e$ siècle. Photo : Martin Hürlimann.

12 Cathédrale de Reims. Intérieur de la nef, vers l'est. Commencée en 1210. Photo : Martin Hürlimann.

13 Cathédrale de Bourges. Extérieur, vu du sud-est. Commencée vers 1195. Le chœur fut achevé en 1218, la nef vers 1260. Photo : Martin Hürlimann.

14 Cathédrale de Bourges. Intérieur, vers l'est. Commencée vers 1195. Photo : Martin Hürlimann.

15 Cathédrale de Wells. Intérieur de la nef, vers l'est. Années 1200-1220 ? Photo : Courtauld Institute of Art.

16 Cathédrale de Canterbury. Extrémité est de la nef. Chapelle de la Trinité. Partie construite entre 1179 et 1184. Photo : Martin Hürlimann.

17 Cathédrale de Lincoln. Intérieur de la nef, côté est, commencée vers 1225. Photo : Martin Hürlimann.

18 Cathédrale de Salisbury. Intérieur de la nef, vers l'est. Commencée en 1220. Photo : Edwin Smith.

19 Cathédrale de Limbourg-an-der-Lahn. Intérieur de la nef, vers l'est. Commencée v. 1220. Photo : Helga Schmidt-Glassner.

20 Liebfrauenkirche, Trèves. Intérieur du chœur vu du transept sud. Commencée v. 1235. Photo : Helga Schmidt-Glassner.

21 Sainte-Elisabeth, Marbourg. Intérieur de la nef, vers l'ouest. Commencée en 1235. Photo : Bildarchiv Foto Marburg.

22 Cathédrale de Tolède. Intérieur depuis le chœur vers le presbytère. Commencée en 1226. Photo : Mas.

23 Abbaye de Saint-Denis, façade ouest. Partie inférieure, v. 1137-1140 ; tours, après 1144 ; flèche, v. 1200. (D'après une gravure de Chapuy, 1832.)

24 Cathédrale de Chartres. Statues du portail ouest (centre). Jambage sud. Milieu du XII$^e$ siècle. Photo : Bildarchiv Foto Marburg.

25 Cathédrale de Chartres. Sculptures du jambage est sur le portail central du transept nord : Melchisédech, Abraham et Isaac, Moïse, Samuel et le roi David, v. 1200-1210. Photo : Martin Hürlimann.

26 Cathédrale de Senlis. Sculptures du jambage nord, portail ouest (centre), v. 1175. Têtes restaurées au XIX$^e$

siècle. Photo : Archives Photographiques.

27 Cathédrale de Reims. Sculptures du jambage est du portail du Jugement Dernier (transept nord). A droite, saint André et saint Pierre, v. 1220. Photo : Bildarchiv Foto Marburg.

28 Nicolas de Verdun. Autel de Klosterneuburg, 1181. L'Adoration des Mages. Émail, qui faisait à l'origine partie du jubé (20,5 × 16,5 cm). Photo : Stiftsmuseum, Klosterneuburg.

29 Cathédrale d'Amiens. Sculptures du jambage sud, portail sud-ouest. L'Annonciation, v. 1225. Photo : Martin Hürlimann.

30 Cathédrale de Reims. Sculptures du pilier nord du portail ouest (centre). La Présentation au temple, v. 1230-1240. Photo : Martin Hürlimann.

31 Cathédrale de Reims. La Présentation au temple, saint Joseph, détail. Photo : Martin Hürlimann.

32 Cathédrale de Reims. Chapiteau de la nef, avec feuillage et monstres fabuleux. Photo : Martin Hürlimann.

33 Cathédrale d'Amiens. Façade ouest. Achevée jusqu'au-dessus de la rosace en 1236 ; tours : seconde moitié du XIVe et début du XVe siècle. Photo : Martin Hürlimann.

34 Cathédrale de Reims. Façade ouest. Second quart du XIIIe siècle. Photo : Martin Hürlimann.

35 Abbaye Sainte-Marie, York. Fragment de la statue de saint Jean, v. 1195. Castle Museum, York. Photo : Warburg Institute.

36 Cathédrale de Wells. Façade ouest. Commencée en 1225. Photo : A.F. Kersting.

37 Cathédrale de Wells. Sculptures surmontant le portail ouest (centre). Couronnement de la Vierge, v. 1230. Photo : Courtauld Institute of Art.

38 Cathédrale de Strasbourg. Tympan du portail ouest du transept sud. Dormition de la Vierge, v. 1230. Photo : Bildarchiv Foto Marburg.

39 Cathédrale de Bamberg. Portrait de la Vierge, groupe de la Visitation actuellement dans l'aile du chœur (lieu originel inconnu), v. 1230-1235. Photo : Helga Schmidt-Glassner.

40 Cathédrale de Magdebourg. Les Vierges sages du portail du Paradis, v. 1245. Photo : Helga Schmidt-Glassner.

41 Cathédrale de Naumburg. La Crucifixion, entrée du chœur, v. 1245. Photo : Helga Schmidt-Glassner.

42 Cathédrale de Naumburg. Le comte Eckhardt et Uta. Sculptures, partie ouest du chœur, v. 1245. Photo : Helga Schmidt-Glassner.

43 Cathédrale de Naumburg. Partie ouest du chœur. Photo : Helga Schmidt-Glassner.

44 Cathédrale de Naumburg. Chapiteau folié du chœur ouest. Photo : Helga Schmidt-Glassner.

45 Cathédrale de Burgos. Transept sud. *La Portada del sarmental*, v. 1235. Photo : Mas.

46 Psautier de la reine Ingeborg de Danemark, avant 1210 (30,5 × 20,5 cm). Musée Condé, Chantilly. Ms 9

(1695) f.32v. Photo : Giraudon.

47 Psautier de Munich. Page Beatus, v. 1200 (27,5 × 18,8 cm). Bayerische Staatsbibliothek, Munich. Cod.Lat.835 f.31r.

48 Villard de Honnecourt. Roi entouré de ses courtisans, dessin, v. 1220 (24 × 16 cm). Bibliothèque Nationale, Paris. Ms Fr. 19093 f.13r.

49 Psautier de Munich. Christ en gloire, v. 1200 (27,5 × 18,8 cm). Bayerische Staatsbibliothek, Munich. Cod.Lat.835 f.29r.

50 Psautier de Westminster. Christ en gloire, v. 1200 (23 × 16 cm). British Library, Londres. Royal Ms 2 A XXII. f.14r.

51 Psautier de Robert de Lindeseye. La Crucifixion. Avant 1222 (24 × 16 cm). The Society of Antiquaries, Londres. Ms 59 f.35v.

52 Psautier de Blanche de Castille. La Crucifixion et la Déposition, avec l'Église et la Synagogue, v. 1235 (28 × 20 cm). Bibliothèque de l'Arsenal, Paris. Ms 1186 f.24.

53 Psautier d'Amesbury. Vierge à l'Enfant avec donateur, v. 1240-1250 (30,5 × 21,6 cm). All Souls College. Ms Lat.6 f.4v. Photo : Colour Centre Slides.

54 Guillaume de Brailes. Christ marchant sur les eaux, v. 1240-1260 (13,4 × 9,8 cm). Walters Art Gallery, Baltimore, USA. Ms W.106 f.20.

55 Matthew Paris. *Historia Anglorum*, frontispice. Vierge à l'Enfant, avec l'artiste agenouillé, v. 1250 (35,6 × 23,8 cm). British Library, Londres. Ms Royal 14 C VII f.6r.

56 Missel Weingarten. Cruci-fixion, v. 1216 (29,2 × 20,3 cm). The Pierpont Morgan Library, New York. Ms 710 f.10v.

57 Hildesheim. Église Saint-Michel. Plafond. Détail d'un arbre de Jessé, v. 1230-1240. Photo : Bildarchiv Foto Marburg.

58 Soest. Retable. La Vierge Marie, la Sainte-Trinité et saint Jean l'Évangéliste. Tempera sur bois, v. 1230-1240 (120 × 71 cm). Gemäldegalerie, Staatliche Museen, Berlin (No. 1216 B).

59 Goslar. Évangéliaire de Kloster Neuwerk. Page de titre de l'Évangile selon saint Matthieu montrant l'Adoration des mages, saint Matthieu et le Songe de Joseph, v. 1235-1240 (33,5 × 25 cm). Städtische Sammlungen, Rathaus, Goslar.

60 Abbaye de Saint-Denis. Intérieur, transept nord. Reconstruction commencée en 1231. Photo : A.F. Kersting.

61 Notre-Dame de Paris. Extérieur du transept sud, de face. Commencée en 1258. Photo : Martin Hürlimann.

62 Paris. Sainte-Chapelle. Intérieur de la chapelle supérieure, vers l'est, 1243-1248. Photo : Giraudon.

63 Paris. Sainte-Chapelle. Extérieur, du sud-ouest, 1243-1248. Photo : A.F. Kersting.

64 Carcassonne. Saint-Nazaire. Extrémité est. Intérieur montrant le bout du transept nord. Après 1269. Photo : Jean Roubier.

65 Troyes. Saint-Urbain. Intérieur de la nef, vers l'est. Fondée en 1262. Photo : Bildarchiv Foto Marburg.

66 Troyes. Saint-Urbain. Extérieur, du sud-est. Fondée en 1262. Photo : Bildarchiv Foto Marburg.

67 Saint-Thibault-en-Auxois. Intérieur du presbytère, vers l'est, v. 1300.

68 Cathédrale de Cologne. Intérieur du chœur. Commencée en 1248, consacrée en 1322. Photo : Helga Schmidt-Glassner.

69 Cathédrale de Strasbourg. Intérieur de la nef, vers l'ouest. (Re)construction commencée vers 1245. Photo : Helga Schmidt-Glassner.

70 Cathédrale de Strasbourg. Dessin de la façade vers 1277 ? Extrait de Dehio, Geschichte des deutschen Kunst, 1930.

71 Cathédrale de Fribourg-en-Brisgau. Tour et clocher ouest, v. 1330. Photo : Helga Schmidt-Glassner.

72 Soest. Wiesenkirche. Intérieur de la nef, vers l'est. Commencée en 1331. Photo : Bildarchiv Foto Marburg.

73 Londres. Abbaye de Westminster. Intérieur du transept sud. Après 1245. Photo : National Monuments Record.

74 Londres. Le Vieux Saint-Paul. Extérieur de l'extrémité est. Reconstruction entamée en 1258. Gravure de Hollar, extraite de Dugdale, History of St Paul's Cathedral, 1658.

75 Cathédrale d'Exeter. Intérieur de la nef, vers l'est, avec voûte. Reconstruction entamée avant 1280, nef du XIV$^e$ siècle. Photo : Martin Hürlimann.

76 Cathédrale d'York. Intérieur de la nef. Fondée en 1291. Photo : Walter Scott.

77 Cathédrale de Gloucester. Intérieur du chœur, vers l'est. Commencée peu après 1330. Photo : National Monuments Record.

78 Cathédrale de León. Intérieur de la nef, vers l'est. Reconstruction commencée en 1225. Photo : Mas.

79 Cathédrale de Barcelone. Intérieur de la nef, vers l'est. Commencée en 1298. Photo : Mas.

80 Statuette, argent et émail de la Vierge à l'enfant, 1339. Hauteur : 69 cm. Louvre, Paris. Photo : Giraudon.

81 Paris. Sainte-Chapelle. Apôtre (d'après moulage), v. 1243-1248.

82 Notre-Dame de Paris. Vierge à l'enfant de Saint-Aignan, v. 1330. Photo : Bildarchiv Foto Marburg.

83 Abbaye de Saint-Denis. Tombeau de Dagobert I$^{er}$, v. 1260. Photo : Courtauld Institute of Art.

84 Abbaye de Saint-Denis. Hommes en deuil, pierre. Piédestal de la tombe de Louis de France, originellement à l'abbaye de Royaumont, v. 1260. Photo : Bildarchiv Foto Marburg.

85 Abbaye de Saint-Denis. Effigie de Philippe le Bel. Commandée en 1327. Photo : Archives Photographiques.

86 Monastère de Southwell. Chapiteaux foliés à l'entrée de la salle du Chapitre, v. 1295. Photo : Edwin Smith.

87 Londres. Abbaye de Westminster. Ange à l'encensoir. Angle ouest du transept sud. Années 1250. Photo : Walter Scott.

88 Londres. Abbaye de West-

274

minster. Vierge de l'Annonciation, salle du Chapitre. 1253 ? Courtesy, the Dean and Chapter of Westminster.

89 Londres. Abbaye de Westminster. Le presbytère. Tombe d'Edmund Crouchback, 1296. Photo : National Monuments Record.

90 Cathédrale de Gloucester. Tombe d'Édouard II avec dais de pierre et effigie d'albâtre, v. 1330-1335. Photo : A.F. Kersting.

91 Cathédrale de Cologne. Statue de saint Matthieu, chœur. Peu avant 1322. Photo : Helga Schmidt-Glassner.

92 Cathédrale de Strasbourg. Jambage droit du portail ouest (centre). Prophètes, v. 1300. Photo : Helga Schmidt-Glassner.

93 Cathédrale de León. Portail ouest. *Portada del Virgen Blanca.* Seconde moitié du XIIIᵉ siècle. Photo : Mas.

94 Cathédrale de Burgos. Tombe de l'archevêque Gonzalo de Hinojosa, v. 1327 ? Photo : Mas.

95 Psautier de Saint-Louis. Balaam et son âne. Entre 1252 et 1270 (21 × 14,5 cm). Bibliothèque Nationale, Paris. Ms Lat.10525 f.39v.

96 La Somme le Roy. L'Humilité, Ahaziah incarnant l'Orgueil, le Pécheur et l'Hypocrite, v. 1290 ? Atelier de Maître Honoré (23,5 × 12,7 cm). British Library, Londres. Ms Ex-Millar f.97v.

97 Livre d'Heures. Dormition de la Vierge, v. 1290 ? Atelier de Maître Honoré, Stadtbibliothek, Nuremberg. Solger in 4, n° 4 f.22.

98 Bréviaire de Belleville. Sans

doute entre 1323 et 1326. Atelier de Jean Pucelle (24 × 17 cm). Bibliothèque Nationale, Paris. Ms Lat.10483-4 f.24v.

99 La Douce Apocalypse. Saint Jean et l'Ange, v. 1270 ? (14,6 × 11,4 cm). Bodleian Library, Oxford. Ms Douce 180 p.33 (les films 35 mm des illustrations du Ms Douce 180 peuvent être obtenus auprès du Département des Ms Occidentaux de la Bodleian Library).

100 Londres. Abbaye de Westminster. Le retable : Saint Pierre. Dernier quart du XIIIᵉ siècle ? Personnage : 48,3 × 15,2 cm. Tempera sur panneau. Photo : Warburg Institute.

101 Psautier d'Alfonso. Quatre Saintes. Peu avant 1284 ? (24,1 × 16 cm). British Library, Londres. Ms Add 24686 f.3r.

102 Psautier de la reine Marie. Les Noces de Cana, v. 1310 (27,5 × 17,3 cm). British Library, Londres. Ms Royal 2B VII f.168v.

103 Les Heures de Jeanne d'Évreux. Frontispice illustrant l'Annonciation, la lettre D englobant une Jeanne lisant, 1325/1328. Atelier de Jean Pucelle (9 × 6 cm). The Metropolitan Museum of Art, The Cloister collection, Purchase, 1954.

104 Psautier de Peterborough. Page *Beatus,* début XIVᵉ siècle (30 × 19,3 cm). Bibliothèque Royale, Bruxelles. Ms 9961-2 f.14.

105 Psautier de Saint-Omer. Page *Beatus,* v. 1330 ? (33,4 × 21,2 cm). British Library, Londres. Ms Add 39810 f.7.

106 Psautier de Gorleston. La

Crucifixion, v. 1330 (37,5 × 23,5 cm). British Library, Londres. Ms Ex-Dyson Perrins f.7r.

107 Autel de Klosterneuberg. *Noli me Tangere.* Entre 1324 et 1329 (119 × 108 cm). Tempera sur bois. Photo : Kunsthistorisches Museum, Vienne.

108 Cologne. Diptyque de Saint-Georges. Vierge à l'Enfant et Crucifixion. Second quart du XIVᵉ siècle ? (49 × 34 cm). Tempera sur bois. Gemäldegalerie, Staatliche Museen, Berlin (N° 1627).

109 Barcelone. Monastère de Pedralbes. Peintures de Ferrer Bassa dans la chapelle San Miguel, 1346. Photo : Mas.

110 Abbaye de Fossanova. Nef, depuis la croisée des transepts. Consacrée en 1208. Photo : Mansell/Alinari.

111 Cathédrale d'Orvieto. Intérieur de la nef, vers l'est. Commencée en 1290. Photo : Mansell/Alinari.

112 Vercelli. Sant'Andrea. Intérieur de la nef, vers l'est. Fondée en 1219, consacrée en 1224. Photo : Mansell/Alinari.

113 Naples. Santa Maria Donnaregina. Intérieur vers l'est. Fondée en 1307. Photo : Courtauld Institute of Art.

114 Cathédrale de Florence. Élévation du campanile, sur parchemin, v. 1334-1340. La flèche et l'octogone furent rejetés. Opera del Duomo, Sienne. Photo : Grassi.

115 Benedetto Antelami. Baptistère de Parme, portail nord. Vierge à l'Enfant. Début du XIIIᵉ siècle. Photo : Mansell/Alinari.

116 Nicola Pisano. Chaire du

baptistère de Pise, 1259-1260. Photo : Mansell/Alinari.

117 Nicola Pisano. Chaire du baptistère de Pise. Détail de l'Adoration des Rois, 1259-1260 (113 × 85 cm). Photo : Mansell/Alinari.

118 Giovanni Pisano. Chaire de la cathédrale de Pise, 1302-1310. Photo : Mansell/Alinari.

119 Nicola Pisano. Chaire de la cathédrale de Sienne. Détail du Christ de l'Apocalypse, 1265-1268. Photo : Grassi.

120 Cathédrale de Sienne. Façade ouest, commencée en 1284-1285 ? Partie supérieure achevée après 1376. Photo : Mansell/Anderson.

121 Giovanni Pisano. Façade ouest de la cathédrale de Sienne : Platon, v. 1290. Opera del Duomo, Sienne. Photo : Grassi.

122 Pietro Oderisi. Monument de Clément IV à San Francesco, Viterbe, v. 1271. Photo : Mansell/Brogi.

123 Arnolfo di Cambio. Monument du cardinal de Braye, San Domenico, Orvieto. Détail, 1282 ou plus tard. Photo : Mansell/Alinari.

124 Arnolfo di Cambio. Cathédrale de Florence. Madone, v. 1300. Museo dell'Opera del Duomo. Photo : Mansell/Alinari.

125 Tino da Camaino. Madone du monument Orso, 1320-1321. Bargello, Florence. Photo : Gabinetto Fotografico della Soprintendenza alle Galerie, Florence.

126 Giovanni et Paccio da Firenze. Monument de Robert d'Anjou, roi de Sicile,

Santa Chiara, Naples. Encore inachevé en octobre 1345. Photo : Mansell/Anderson.

127 Giovanni di Balduccio. Châsse de saint Pierre martyr, Sant'Eustorgio, Milan, 1335-1339. Photo : Mansell/Alinari.

128 Pise. Santa Maria della Spina. Extérieur, du sud-ouest, v. 1330. Photo : Scala.

129 Projet jamais réalisé de la façade de la cathédrale d'Orvieto. Parchemin, peu avant 1310. Opera del Duomo, Orvieto.

130 Lorenzo Maitani. Madone surplombant le portail ouest (centre) de la cathédrale d'Orvieto, 1325-1330 ? Photo : Mansell/Alinari.

131 Cathédrale d'Orvieto. Façade ouest, commencée en 1310. Photo : Scala.

132 Andrea Pisano. Portes de bronze du baptistère de Florence, 1330-1336. Photo : Mansell/Alinari.

133 Andrea Pisano. Détail des portes de bronze du baptistère de Florence, 1330-1336. Photo : Mansell/Brogi.

134 Maître de Saint-François. Institution de la crèche à Greccio. Église supérieure de Saint-François, Assise, v. 1295. Photo : Scala.

135 Rome. Église des Quattro Coronati. Chapelle de Saint-Sylvestre. Christ en Gloire parmi les Apôtres, avec, en dessous, des scènes de la légende de saint Sylvestre et de l'empereur Constantin. Chapelle consacrée en 1246. Photo : Mansell/Alinari.

136 Assise. Église supérieure de Saint-François. Le Sacrifice d'Isaac. Années 1280. Photo : Mansell/Alinari.

137 Maître d'Isaac. Isaac et Ésaü. Église supérieure de Saint-François, Assise, v. 1290. Photo : Mansell/Alinari.

138 Jacopo Torriti. Présentation au Temple. Mosaïque. Santa Maria Maggiore, Rome, v. 1296. Photo : Mansell/Alinari.

139 Pietro Cavallini. Deux Apôtres du Jugement Dernier. Santa Cecilia, Rome, v. 1290. Photo : Gabinetto Fotografico Nazionale, Rome.

140 Padoue. Chapelle de l'Arena. Intérieur, vers l'est. Fondée en 1303, décoration sans doute achevée vers 1313. Photo : Mansell/Anderson.

141 Giotto. Les Noces de Cana. Padoue, chapelle de l'Arena. Entre 1305 et 1313 ? Photo : Scala.

142 Giotto. Résurrection de Drusiana, détail. Chapelle Peruzzi, Santa Croce, Florence, v. 1320. Photo : Scala.

143 Giotto. Présentation de la Vierge. Padoue, chapelle de l'Arena. Entre 1305 et 1313. Photo : Mansell/Anderson.

144 Giotto. Résurrection de Drusiana, détail. Chapelle Peruzzi, Santa Croce, Florence, v. 1320. Photo : Mansell/Anderson.

145 Duccio. Saints et Anges. Détail. Panneau droit de la partie centrale de la Maestà, 1308-1311. Museo dell'Opera del Duomo, Sienne. Photo : Grassi.

146 Duccio. L'entrée à Jérusalem. Verso de la Maestà, 1308-1311. Museo dell'Opera del Duomo, Sienne. Photo : Grassi.

147 Duccio. Verso de la Maestà, 1308-1311 (411 × 273 cm).

Museo dell'Opera del Duomo, Sienne. Photo : Grassi.

148 Madone des Franciscains, v. 1295 (23,5 × 16 cm). Pinacothèque de Sienne. Photo : Mansell/Alinari.

149 Simone Martini. Maestà, fresque du Palazzo Pubblico, Sienne, 1315, restaurée par Simone en 1321. Photo : Grassi.

150 Simone Martini. Polyptyque de Santa Caterina, Pise, 1319. Museo Nazionale, Pise. Photo : Mansell/Anderson.

151 Simone Martini. Retable de Saint-Louis de Toulouse, v. 1317. Galleria Nazionale, Naples. Photo : Scala.

152 Simone Martini. L'Annonciation, 1333 (265 × 305 cm). Offices de Florence.

153 Simone Martini. Le Christ et ses parents, 1342 (49,5 × 35 cm). Walker Art Gallery, Liverpool.

154 Simone Martini. Adoubement de saint Martin. Église inférieure de Saint-François, Assise, v. 1330 ? Photo : Mansell/Alinari.

155 Simone Martini. Guidoriccio da Fogliano. Fresque. Palazzo Pubblico, Sienne, 1328. Photo : Scala.

156 Pietro Lorenzetti. La Madone entourée de Saints. Pieve, Arezzo, 1320. Photo : Mansell/Alinari.

157 Simone Martini. *Salvator Mundi*. Peinture en ocre rouge, fresque du portail de Notre-Dame-des-Doms, Avignon, v. 1340-1344. Photo : Archives Photographiques.

158 Pietro Lorenzetti. Crucifixion. Église inférieure de Saint-

François, Assise, v. 1330 ? Photo : Mansell/Alinari.

159 Disciple de Pietro Lorenzetti. La Cène. Église inférieure de Saint-François, Assise. Années 1330 ? Photo : Mansell/Anderson.

160 Ambrogio Lorenzetti. Le Bon Gouvernement de la Cité. Fresque de la Sala del Nove, Palazzo Pubblico, Sienne, 1338-1340. Photo : Grassi.

161 Ambrogio Lorenzetti. Le Bon Gouvernement dans le Pays. Fresque de la Sala del Nove, Palazzo Pubblico, Sienne, 1338-1340. Photo : Grassi.

162 Cathédrale de Prague. Extérieur, vu du sud-ouest. Fondée en 1344. Photo : Helga Schmidt-Glassner.

163 Cathédrale de Prague. Intérieur du chœur. Fondée en 1344. Partie supérieure : dernier quart du XIVᵉ siècle. Photo : Courtauld Institute of Art.

164 Cathédrale de Prague. Voûte du portail de transept sud. Photo : Bildarchiv Foto Marburg.

165 Cathédrale de Prague. Tête de Charles IV. Triforium de l'abside. Dernier quart du XIVᵉ siècle. Photo : Helga Schmidt-Glassner.

166 Le Maître de Bohême. La Madone de Glatz, v. 1350 (186 × 95 cm). Gemäldegalerie Staatliche Museen, Berlin (Nº 1624).

167-168 Château de Karlstein. Chapelle de la Vierge. Scènes de reliques et partie de la décoration du dais, 1357 ou peu avant.

169 Château de Karlstein. Chapelle de la Sainte-Croix, intérieur. Décoration 1357-1367.

Photo : Helga Schmidt-Glassner.

170 Château de Karlstein. Chapelle de la Sainte-Croix. Prophète par Maître Théodoric. On distingue une partie de la décoration surélevée. V. 1357-1367.

171 Cathédrale d'Aix-la-Chapelle. Intérieur du chœur, vers l'est. Commencé en 1355. Photo : Bildarchiv Foto Marburg.

172 Portrait de Jean le Bon. Avant 1364 ? (60 × 44 cm). Louvre, Paris. Photo : Giraudon.

173 Tapisserie d'Angers. Scène de l'Apocalypse, 1375-1381. Château d'Angers. Photo : Courtauld Institute of Art.

174 Parement de Narbonne. Devant d'autel en soie peinte. Crucifixion. Peu avant 1377. Hauteur : 78 cm. Louvre, Paris. Photo : Giraudon.

175 *Liber Viaticus* de Johann Von Neumarkt. Avant 1364 (43,5 × 31 cm). Bibliothèque du Musée national, Prague. Ms XIII A 12. f.9.

176 Maître de Wittingau. La Mise au tombeau. Autel de Wittingau. Années 1380 ? (133 × 92 cm). Prague, Musée national.

177 Avignon. Le palais des Papes. La tour des Anges. Intérieur de la *Camera Tunis*, v. 1340. Photo : Archives Photographiques.

178 Florence. Palazzo Davanzati. Intérieur de la Chambre nuptiale, v. 1395. Photo : Mansell/Alinari.

179 Londres. Abbaye de Westminster. Ange du Jugement Dernier. Détail de la peinture murale, ouest de la salle du Chapitre, v. 1370. Largeur :

environ 122 m. Photo : Courtesy Dean and Chapter of Westminster.

180 Livre d'heures des Bohun, v. 1380 (16,8 × 11,5 cm). Bodleian Library Oxford. Ms Auct. D.4.4. f.206v.

181 Abbaye de Westminster. Portrait anonyme de Richard II, v. 1395. Photo : Courtesy Dean and Chapter of Westminster.

182 Miniature de Jean Bandol, dans la bible de Charles V, montrant la présentation du manuscrit à Charles V par Jean de Vaudetar, 1372. Rijksmuseum, Meermanno-Westreenianum. La Haye. Ms 10 B 23, frontispice.

183 Les Très Belles Heures du duc de Berry, La Nativité, v. 1380-1390 (28 × 20 cm). Bibliothèque nationale, Paris. Ms N.Acq.Lat.3093 f.42r.

184 Missel carmélite. Initiales, v. 1395. British Library, Londres. Ms Add. 2970-5 f.68v.

185 Claus Sluter. Tombeau de Philippe le Hardi, duc de Bourgogne, chartreuse de Champmol, près de Dijon. Commencé v. 1390, inachevé en 1406. Musée de Dijon. Photo : Giraudon.

186 Londres. Abbaye de Westminster. Effigie en bois d'Édouard III, 1377. Undercroft Museum. Photo : Courtesy Dean and Chapter of Westminster.

187 Jean de Liège. Effigie de marbre blanc de Philippa de Hainaut, v. 1365-1367. Abbaye de Westminster, Londres. Photo : Courtesy

Dean and Chapter of Westminster.

188 Page de titre de la bulle d'Or de 1356. Copie de 1390 (?) (42 × 30 cm). Osterreichisches Nationalbibliothek, Vienne. Cod.338 f.1r.

189 Livre d'Heures attribué à Zebo da Firenze, v. 1405-1410. British Library, Londres. Ms Add. 29433 f.20r.

190 Nuremberg. Saint-Sebald. Intérieur du chœur, vers l'est, 1361-1379. Photo : Deutscher Kunstverlag.

191 Nuremberg. Saint-Sebald. Extérieur, du sud-est, 1361-1379. Photo : Bildarchiv Foto Marburg.

192 Cathédrale de Gloucester. Le cloître. Vue du déambulatoire sud. Reconstruction commencée avant 1377. Photo : Martin Hürlimann.

193 Les Très Riches Heures du duc de Berry. La Tentation et le château de Mehun-sur-Yèvre, v. 1415 (29 × 21 cm). Musée Condé, Chantilly. Photo : Giraudon.

194 Poitiers. Le Palais de Justice. Cheminée de la Grande Salle, 1384-1386. Photo : Archives Photographiques.

195 Poitiers. Le Palais de Justice. Statue de Jeanne, duchesse de Bourbon, attribuée à Guy de Dammartin, au-dessus de la cheminée de la Grande Salle, v. 1384-1386. Photo : Bildarchiv Foto Marburg.

196 Cathédrale de Florence. Extérieur, vu de l'est. Redessinée en 1366-1368. Dôme achevé au XVe siècle. Photo : Mansell/Alinari.

197 Élévation sur parchemin de la façade du baptistère de Sienne. Avant 1382. Museo dell'Opera del Duomo, Sienne. Photo : Mansell/Alinari.

198 Cathédrale de Milan. Intérieur de la nef depuis le bas-côté sud. Commencée en 1387. Photo : A.F. Kersting.

199 Nino Pisano. Madone, v. 1360. Santa Maria Novella, Florence. Photo : Mansell/Alinari.

200 Cathédrale de Milan. Extérieur du chœur. Commencée en 1387.

201 Bonino da Campione. Monument de Bernabo Visconti. Effigie. Avant 1363. Le sarcophage est sans doute ultérieur. Castello Sforzesco, Milan.

202 Bonino da Campione. Monument de Cansignorio della Scala. Achevé avant 1375. Santa Maria Antica, Vérone.

203 Les Heures de Blanche de Savoie par Giovanni Benedetto da Como. Le Miracle de Cana. Entre 1350 et 1378 (19,3 × 12 cm). Bayerische Stadtsbibliothek, Munich. Ms 23215 f.126v.

204 Michelino da Besozzo. Éloge de Giangaleazzo Visconti par Pietro da Castelleto, 1403 (37,6 × 24,2 cm). Bibliothèque Nationale, Paris. Ms Cat.5888 f.1.

205 Giovannino dei Grassi. Offiziolo Visconti. La Fuite en Égypte. Commencé vers 1380 (11 × 10,4 cm). Biblioteca Nazionale, Florence. Fondo Laudau-Finaly n.22. f.25v.

# Index

*Les numéros en italique renvoient aux pages des illustrations.*

Aix-la-Chapelle, cathédrale, 229, *230*, 249
Alban, psautier, 69
Alberti, 11, 187
Albi, cathédrale, 108-109
Alfonso, psautier, 134, 140
Amesbury, psautier, 74, *76*, 78
Amiens, cathédrale, 26, 94
  sculptures, *48*, 48, 51, 52, *53*, 65, 86, 110, 112, 117, 123, 173, 245
Anagni, cathédrale, 179
Anchin, missel, 69
Angers, cathédrale, 36
  tapisseries de l'Apocalypse, *232*, 232, 236
Annibaldi, cardinal, monument, 164
Antelami, Benedetto, 152, *153*
Anvers, polyptyque, 205, 208
Apocalypse (tapisseries d'Angers), *232*, 232, 236
Apulia, Castel del Monte, 156
Arezzo, Pieve d', *212*, 212
Arras, cathédrale, 18, 20, 22
Assise, Saint-François
  fresques, 181, 183, 185
  église inférieure, 204, 205, *215*
  église supérieure, *177*, *180*, 181, *182*
Astorga, 109
Auxerre, 173
Avallon, cathédrale, 42
Avignon, cathédrale, 210
  Notre-Dame-des-Doms, *213*
  palais des Papes, 236, *238*
  tombeaux des Papes, 118
Avila, cathédrale, 39
  San Vicente, 64

Baerze, Jacques de, retable, *2*, 244
Balduccio, Giovanni di, *168*, 169
Bamberg, cathédrale, 58, 61, 210
Barcelone, cathédrale, 40, *109*, 109
  chapelle de San Miguel de Pedralbes, *144*, 143
Beauvais, cathédrale, 94
  Saint-Lucien, 22, 86
Belleville, bréviaire, 130
Besozzo, Michelino da, *263*, 265
Bibles moralisées, 74
Billyng, bible, 173
Blanche de Castille, psautier, 74, *76*
Blanche de Savoie, livre d'Heures, *262*, 262
Blois, Henry de, évêque de Winchester, 11
Bohun, famille, livre d'Heures, *240*, 240
Bologne, arc de San Domenico, 169, 198
  production de manuscrits, 218

Saint-François, 148
San Petronio, 150, 151
Boniface VIII, monument, 165
Bourges, cathédrale, *29*, 29, *30*, 31, 40, 42, 109, 112, 151, 256
  Jacques Cœur, 252, 256
Brailes, William de, 78, *79*, 140
Bristol, cathédrale, chapelle de Berkeley, 104, 224
Broederlam, peintures, 232
Brunelleschi, 253
Buoninsegna, Duccio di, 142, 194, *195-196*, *197*, 198, *199*, 201-205, 213, 217
Burgos, cathédrale, 39
  *Portada del Sacramental*, 65, *63*
  tombe de l'évêque Gonzalo de Hinojosa, 123, *123*

Caen, Saint-Étienne, 20
Camaino, Tino da, 166, *167*, 167, 173
Cambio, Arnolfo di, 164, *164*, *165*, 165, 166, 169, 253
Cambrai, 22
Campione, Bonino da, *260*, *261*
Canterbury, cathédrale, 10, *32*, 71, 250
  chœur, 31
  Christchurch, 11
Carcassonne, cathédrale, *92*, 92
Carmélites, missel, 240-244, *243*
Casamari, abbatiale, 147
Cavallini, Pietro, 127, 183-185, *184*, 187, 197
Châlons-sur-Marne, Notre-Dame-en-Vaux, 42
Chapelle des Quinze-Vingts, 6
Chartres, cathédrale, 26, *27*, 31, 39, 46, 51, 86, 117, 120
  portail ouest, 42
  transepts, *44*, 46, 52, 57
Cimabue, 181, 184
Clairvaux, troisième église, 24
Clermont-Ferrand, cathédrale, 104
Cologne, cathédrale, 39, 86, 94, *95*, 98, 106, *120*, 145, 151, 251
  évangéliaire de l'église Gross-Saint-Martin, 69
  Saints-Apôtres, 39
  Saint-George, *143*, 142
  Saint-Kunibert, 83
  Sainte-Marie-du-Capitole, 22
Como (Côme), 147
Como, Giovanni Benedetto da, 262
Como, Guido da, 155
Constantinople, la Chora, 180
Cosenza, cathédrale, 148
Cosmati, les, 163, 164

Coutances, cathédrale, 31
Cuenca, cathédrale, 39

Dijon, abbaye, 42
Douce Apocalypse, *133*, 133, 135
Duccio, *voir* Buoninsegna,
Durham, Walter de, 135

Ely, cathédrale, 104
Emmaüs, monastère, 239
Érigène, John Scotus, 9
Erwin, 96
Evesham, psautier, 74
Exeter, cathédrale, 103, *103*, 104

Ferrer Bassa, *144*, 143, 178
Firenze, Giovanni et Paccio da, *168*, 166-167
Firenze, Zebo da, 236, *248*
Florence, baptistère, 173, *174*, *175*
   cathédrale, 151, *151*, 165, 166, 190, 253, *254*
   chapelle Bardi, 214
   chapelle Baroncelli, 211
   Madone Rucellai, 194
   Palazzo Davanzati, 236, *238*
   Santa Croce, 148, 150, *189*, 192, 190, *193*
   Santa Maria Novella, 148, 194
   Santa Trinita, 182
Fontenay, abbaye, 13, 24, *25*, 147
Fossanova, abbaye, *146*, 147, 148
Fribourg-en-Brisgau, cathédrale, *98*, 98, 120, 151, 251

Gaddi, Taddeo, 211
Gelnhausen, 64
Gérone, cathédrale, 108
Ghiberti, 176
Giotto, 73-76, 131, 143, 181-182, 185-187, *188-189*, 190-193, *191*, *193*, 197, 204, 211, 214-215, 218
Glatz, madone, *226*, 225, 235
Gloucester, cathédrale, 106, *105*, 250, *250*
   tombeau d'Édouard II, 118, *119*
Gorleston, psautier, 141, *141*
Goslar, Kloster Neuwerk, évangéliaire, 83, *84*
Grassi, Giovanni dei, 264, *264*

Halberstadt, missel de la cathédrale, 83
Henri de Chichester, missel, 74
Hereford, salle du Chapitre, 250
Hermann de Thuringe, psautiers, 83
Hexham, abbatiale, 35
Hildesheim, Saint-Michel, *82*, 83
*Historia Anglorum*, 80
Hohenfurth, monastère cistercien, 226, 235
Honoré, Maître, 126-127, *128*, *129*, 130, 133, 142, 176, 198

Ingeborg, psautier de la reine, *66*, 69, 71, 72
Isaac, le Maître d', 127, 181, *182*, 184, 185, 187, 197

Isabelle de France, psautier, 124

Jean II d'Angleterre, portrait, 231, *231*
Jeanne d'Évreux, reine, livre d'Heures, 131, *138*, 138
   Vierge à l'enfant donnée à Saint-Denis, 110
Joseph, Maître de, *49*, *50*, 110, 120, 124, 156

Karlstein, palais ou château, 221, 224, 233, 235, 239
   chapelle de la Vierge, 224, *227*, 235
   chapelle de la Sainte-Croix, *228*, 228, *229*, 229
Klosterneuberg, autel, *47*, 47, *142*, 143
Krumau, madone, 236

Lambeth, bible, 71
Laon, cathédrale, *16*, 20, *21*, 22, *23*, 26, 34, 45, 46, 52
La Somme le Roy, texte, *128*
Le Mans, cathédrale, 22, 31, 40, 42
León, cathédrale, 40, 64, 106, *108*, 120, *122*, 145
Lerida, cathédrale, 39
*Liber Viaticus*, *234*, 235
Liège, Jean de, 244, *245*
Limbourg-an-der-Lahn, cathédrale, 36, *36*
Limbourg, frères,
Lincoln, cathédrale, *34*, 35, *35*, 52, 102, 104
   Chœur des anges, 102, 117
Lindeseye, psautier, 74, *75*, 78
Liverpool, retable de, 204, 210
Londres, Vieux Saint-Paul, 101, *102*
Lorenzetti, Ambrogio, *219*
Lorenzetti, Pietro, 212, 213
Louis IX de France (Saint Louis), 6, 12, 85, 110, 113, 131
   psautier, 124, *125*, 126, 133, 198
Louvre, palais, 233, 252
Lucques, 193
Lytlington, abbé de Westminster, 240

Maestà, retable de la cathédrale de Sienne, 194, *195*, *196*, *197*, 198, *199*, 200, 205, 216
Magdebourg, cathédrale, portail du Paradis, 60, 61, 64, 120, 210
Maitani, Lorenzo, 169, *170*, 170
Manerius, bible, 71
Mantes, cathédrale, 42
   Notre-Dame, 18, 22, 29
Marburg, Sainte-Elizabeth, *37*, 37, 98
Marie, reine d'Angleterre, psautier, 135, *136*, 138
Martini, Simone, *206*, *207*, *209*, 210
Masaccio, 176
Matera, San Giovanni, 148
Mayence, évangéliaire, 83
Mehun-sur-Yèvre, palais du duc de Berry, 251, *251*
Milan, cathédrale, 147, 256, *257*, *259*, 261
   sanctuaire de Saint-Pierre-Martyr, 169
   San Giovanni in Conca, 261
Modène, Tomaso de, 225
Monte San Galgano, abbaye, 147

Morimondo, 148
Mulhouse, Sainte-Marie, 256
Munich, psautier, *68, 70*
Münster, cathédrale, 37

Naples, cathédrale, 183
  production de manuscrits, 218
  Santa Maria Donnaregina, *150,* 151, 183
Narbonne, cathédrale, 104, 221
Naumburg, cathédrale, sculptures, *61, 62, 63,* 63, *64,* 117
  chœur de, *63,* 63, *64,* 64, 155
Neuf héros, tapisserie, 232
Neuhausen, évangéliaire de Saint-Cyriaque, 79
Notre-Dame, Paris, 18, 22, *23,* 26, 42, 48, 51, 173
  façade, *88, 89*
Nuremberg, Frauenkirche, 256
  livre d'heures, 127
  Saint-Sebald, *249,* 249

Oderisi, Pietro, *162*
Orvieto, cathédrale, 151, 148, *170, 172*
  façade, *170,* 172, *172*
  tombeau du cardinal Guillaume de Braye, *164,* 164

Paderborn, cathédrale, 39
Padoue, chapelle de l'Aréna, 131, *186,* 187, 190-192, *191,* 204, 208
Palazzo Pubblico, Sienne,
  fresque de Guidoriccio da Fogliano, 210, *211,* 216
  Maestà, 200, *201,* 216
  Sala del Nove, fresque du Bon et du Mauvais Gouvernement, 216, *218, 219*
Palma de Majorque, cathédrale, 40, 86, 109
Parement de Narbonne, 232, *233,* 264
Paris, chapelle des Quinze-Vingts, 6
  *voir* Notre-Dame,
  *voir* Saint-Denis,
  *voir* Sainte-Chapelle,
Paris, Matthew, 78, *80,* 178
Parler, Heinrich, 221
Parler, Peter, 221, 223
Parme, baptistère, 152, *153*
Peterborough, psautier, 139, *139*
Piacenza, cathédrale, 147
Pisano, Andrea, 173, *174, 175*
Pisano, Giovanni, 156, *157,* 158, *160, 161,* 163, 166, 170, 205, 213, 216
Pisano, Nicola, 154, *155,* 155, 156, 158, *159,* 162, 166, 170
Pisano Nino, *258,* 258
Pise
  Campo Santo, 169
  cathédrale, 147, 150, 158, 173, 212, 216, 253
  chaires, *154, 155,* 156, *157,* 158
  Santa Caterina, 201, *202,* 212
  Santa Maria della Spina, 169, *169*
Pistoia, chaire de Sant'Andrea, 155, 161

Poitiers, cathédrale, 22, *25,* 39, 112
  château, *252,* 252, *253*
Pontigny, 24
Pontoise, Saint-Maclou, 18
Prague, cathédrale, *220, 222, 223,* 223, 224, *225,* 230, 245
  Bulle d'or impériale, *246*
  chapelle Saint-Venceslas, 224
Pucelle, Jean, 127, 130, 131, *132,* 138, *138,* 142, 173

Reims, cathédrale, 26, *28,* 47, 58, 69, 86, 106, 120, 123, 126
  façade, *49, 52, 54,* 65, 110, 112
  feuillage, *51,* 51, 64, 117, 156
  Saint-Nicaise, 112, 117
  statue de saint Joseph, *49, 50,* 51
Rochester, cathédrale, 52
Rome,
  San Giovanni in Laterano, 163, 182
  San Lorenzo fuori le Mura, 163
  San Paolo fuori le Mura, 163, 183
  San Sylvestro, 178, *179,* 187
  Santa Cecilia, 184
  Santa Maria in Trastevere, 183
  Santa Maria Maggiore, 183
  Vieux Saint-Pierre, 182, 187, 197
Roncevaux, église de l'Hospederia, 39
Rouen, cathédrale, 113, 173
  Saint-Ouen, 94
Rucellai, madone, 194, 197
Rutland, psautier, 140

Saint-Abbondio, 147
Saint-Aignan, Vierge, 110, *113*
Saint Albans, 78
Saint Amand, vie manuscrite, 71
Saint-Augustin, 9
Saint-Bernard, 13, 24
Saint-Bertin, 71
Saint-Denis, abbatiale, 7, 11, 13, 17-22, 39, 52, 86, 87, 89, 96, 101, 150
  façade ouest, 52, 40, *41,* 173
  porte des Valois, 42
  tombeaux, *114, 115,* 115
  Vierge à l'enfant, 111
« Saint-François, maître de », *177*
Saint-Germain-des-Prés, martyrologie, 126, 135
Saint Louis, *voir* Louis IX,
Saint Omer, psautier, 140, *140,* 141
Saint-Louis de Toulouse, autel, 201, *203,* 204
Saint-Thibauld-en-Auxois, *93,* 94
Saint-Vitus, madone, 236
Saint-Yves de Braisne, 46
Sainte-Chapelle, 63, 89, *90, 91,* 91, 92, 101, 117, 151, 173
  apôtres, 110, *112*
  évangéliaire, 72, 124
Salamanque, cathédrale, 40

Salisbury, cathédrale, *35*, 35, 101
Sanguesa, Santa Maria, 64
Schwäbisch Gmund, église de la Sainte-Croix, 221
Ségovie, cathédrale, 40
Senlis, cathédrale, 22, 29, 42, *45, 46*
Sens, cathédrale, 22, 46, 55, 112
Sens, Guillaume de, 10, 34
Séville, cathédrale, 40, 109
Siena, Guido da, 194, 198
Sienne, 86, 194
  cathédrale, 148, 204, *206,* 253, 254, *255*
  façade, 158, *160, 161,* 162
  chaire, 158
  *voir* Maestà, retable,
  San Francesco, fresque,
  *voir* Palazzo Pubblico,
Sluter, Claus, 242, *244*
Soest, Wiesenkirche, 83, 98, *99*
Soissons, cathédrale, 20, 22
Sopocani, monastère, 180, 185
Southwell, monastère, 64, *116,* 117
Strasbourg, *58,* 94, *96, 97,* 98, 161, 251
  façade ouest, *97,* 120, *121,* 256
  Dormition de la Vierge, *58,* 58
Suger, Abbé, 7, 11, 13, 17, 18, *19,* 40, 74, 173, 224

Théodoric, maître, 228, *229*
Tolède, cathédrale, *38,* 39, 106, 109, 123
Torriti, Jacopo, 182, 183, 197
Tournai, cathédrale, 20, 22
Tournus, 31
*Très Belles Heures,* livre d'Heures du duc de Berry, 232, *243*
*Très Riches Heures* du duc de Berry, *25,* 264
Trèves, Liebfrauenkirche, 36, *37*
Trinité, Apocalypse, 74

Troyes, Saint-Urbain, *92, 92, 93,* 96, 112, 210

Valenciennes, cathédrale, 20
Vasari, 176
Vaudetar, Jean, bible, 231, *242*
Vercelli, Sant'Andrea, 150, *151,* 151
Verdun, Nicolas de, 47, *47,* 69, *142,* 143
Verdun, Richard de, 127
Vienne, Saint-Etienne, 256
Villard de Honnecourt, *68, 69*
Visconti, Giangaleazzo, livre d'Heures, *264,* 265
  oraison funèbre, 265, *263*
Viterbe, San Francesco, tombeau de Clément IV, *162,* 163, 164

Weingarten, missel, 79, *81*
Wells, cathédrale, *33, 34,* 103, 116
  Couronnement de la Vierge, *57, 57*
  façade, 56, *56*
Westminster, abbaye, 11, 36, 56, *100,* 113, 116, *116, 117,* 135, 145, 163, 176, 252
  portrait de Richard II, 240, *241*
  psautier, 72, *73*
  retable, *134,* 135, 198, 211
  salle capitulaire, 239, *239*
Westminster, palais, abbaye, 176, 233, 238
  Chambre peinte d'Henri III, 176, 200
  chapelle Saint-Etienne, 106
Winchester, cathédrale, 11, 57
  bible, 72
Windsor, château, 176
Wittingau, retable, 235
Wittingau, maître, 236, 237

York, abbaye Sainte-Marie, 55, *55*
  monastère, 104, *105,* 106

Dans la même collection :

1 Frank Whitford, *le Bauhaus*.
2 John Boardman, *l'Art grec*.
3 John Russell, *Seurat*.
4 Alastair Duncan, *Art déco*.
5 Cyril Aldred, *l'Art égyptien*.
6 Michael Levey, *Du Rococo à la Révolution*.
7 Peter Murray, *l'Architecture de la Renaissance italienne*.
8 James Laver, *Histoire de la mode et du costume*.
9 Melissa McQuillan, *Van Gogh*.
10 Frank Willett, *l'Art africain*.
11 Frank Whitford, *Egon Schiele*.
12 John Steer, *la Peinture vénitienne*.
13 Roland Penrose, *Joan Miró*.
14 Joan Stanley-Baker, *l'Art japonais*.
15 Edward Lucie-Smith, *Histoire du mobilier*.
16 Peter et Linda Murray, *l'Art de la Renaissance*.
17 Marco Livingstone, *David Hockney*.
18 Roy C. Craven, *l'Art indien*.
19 Anne Massey, *la Décoration intérieure au XXᵉ siècle*.
20 Frank Whitford, *Gustav Klimt*.
21 Mary Tregear, *l'Art chinois*.
22 J.P. Hodin, *Edvard Munch*.
23 Leslie Orrey et Rodney Milnes, *Histoire de l'opéra*.
24 Edward Lucie-Smith, *la Sexualité dans l'art occidental*.
25 Bernard Denvir, *Toulouse-Lautrec*.
26 John Summerson, *le Langage classique de l'architecture*.
27 Phoebe Pool, *l'Impressionnisme*.
28 Roberta J.M. Olson, *la Sculpture de la Renaissance italienne*.
29 Mortimer Wheeler, *l'Art romain*.
30 Lloyd et Jennifer Laing, *l'Art celte*.